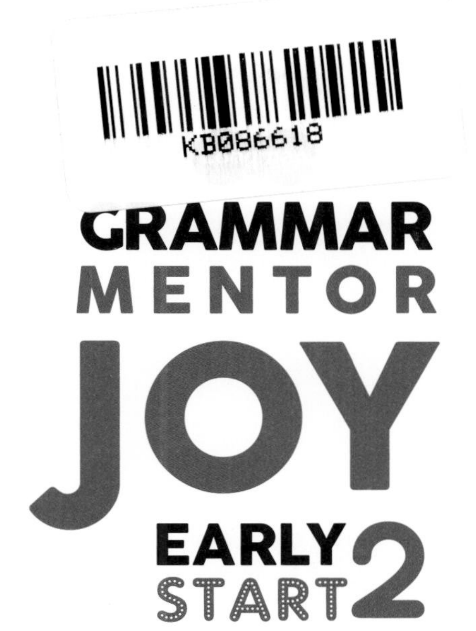
KB086618
GRAMMAR
MENTOR
JOY
EARLY
START 2

Pearson

Longman
GRAMMAR MENTOR JOY
EARLY START 2

지은이 교재개발연구소
편집 및 기획 English Nine
발행처 Pearson Education South Asia Pte Ltd.
판매처 inkedu(inkbooks)
전화 02-455-9620(주문 및 고객지원)
팩스 02-455-9619
등록 제13-579호

ISBN 979-11-88228-30-0

잘못된 책은 구입처에서 바꿔 드립니다.

GRAMMAR MENTOR JOY

그래머 멘토 조이 얼리 스타트 둘

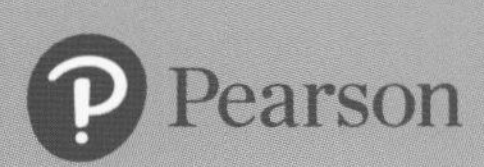

Grammar Mentor Joy Early Start 시리즈는 전체 2권으로 구성되어 있습니다.
이 시리즈는 Grammar Mentor Joy 시리즈의 첫 단계로 처음 문법을 시작하는 학생들을 대상으로 문법에 흥미를 가질 수 있도록 구성되어 있습니다. 각 Level이 각각 8개의 Chapter 총 8주의 학습 시간으로 구성되어 있는데, 특히 Chapter가 끝나면 Final Check 문제와 Exercise를 두어 반복 복습을 할 수 있도록 하였습니다. 부가적으로 워크북과 단어테스트를 제공하고 있으며 한 레벨이 끝나면 자가 테스트를 할 수 있는 실전 모의고사 테스트도 각각 3회씩 제공되고 있습니다.

Level	Month	Week	Chapter	Unit	Homework
1	1st	1	1 명사와 관사	01 명사	각 Chapter별 단어 퀴즈 제공 – 각 Chapter별 드릴 문제 제공 (워크북) – 각 Chapter별 추가 문제 제공 (선생님용)
				02 명사의 복수형	
		2	2 인칭대명사 I	01 인칭대명사와 be동사	
				02 주어+be동사+명사/장소	
		3	3 형용사	01 형용사의 종류	
				02 반대 의미의 형용사	
		4	4 be동사의 부정문과 의문문	01 be동사의 부정문	
				02 be동사의 의문문	
	2nd	1	5 동사	01 일반동사	각 Chapter별 단어 퀴즈 제공 – 각 Chapter별 드릴 문제 제공 (워크북) – 각 Chapter별 추가 문제 제공 (선생님용) – 최종 3회의 실전모의고사 테스트지 제공
				02 주어가 3인칭 단수일 때 동사의 변화	
		2	6 일반동사의 부정문과 의문문	01 일반동사의 부정문	
				02 일반동사의 의문문	
		3	7 인칭대명사 II	01 my / your / me / you	
				02 He / She / They / It의 쓰임	
		4	8 can / be going to	01 can의 쓰임	
				02 be going to의 쓰임	

특징

1 학습자 눈높이에 맞춘 챕터 구성
2 단계별 학습을 통한 맞춤식 문법 학습
3 내신대비를 위한 서술형 문제 풀이 학습
4 단순 암기식 공부가 아닌 사고력이 필요한 문제 풀이 학습
5 반복적인 학습을 통한 문제 풀이 능력 향상
6 기초 어휘와 문장을 통한 체계적인 학습
7 반복적인 문제 풀이를 통한 자연스런 학습
8 초등 기초 문법을 완벽 마스터

Level	Month	Week	Chapter	Unit	Homework
2	3rd	1	1 명사의 복수형과 셀 수 없는 명사	01 단수명사와 복수명사	각 Chapter별 단어 퀴즈 제공 – 각 Chapter별 드릴 문제 제공 (워크북) – 각 Chapter별 추가 문제 제공 (선생님용)
				02 셀 수 없는 명사	
		2	2 정관사 the와 this, that	01 정관사 the	
				02 this와 that	
		3	3 There is / There are	01 There is / There are	
				02 There is / There are 부정문과 의문문	
		4	4 현재진행형	01 현재진행형의 의미와 형태	
				02 현재진행형의 부정문과 의문문	
	4th	1	5 형용사와 부사	01 형용사	각 Chapter별 단어 퀴즈 제공 – 각 Chapter별 드릴 문제 제공 (워크북) – 각 Chapter별 추가 문제 제공 (선생님용) – 최종 3회의 실전모의고사 테스트지 제공
				02 부사	
		2	6 동사의 과거형 I	01 be동사의 과거형	
				02 일반동사 과거형 - 규칙 변화	
		3	7 동사의 과거형 II	01 일반동사 과거형 - 불규칙 변화	
				02 일반동사 과거형 부정문과 의문문	
		4	8 전치사	01 시간과 장소의 전치사	
				02 위치의 전치사	

Unit 설명 & Warm up

각 Chapter를 2개의 Unit으로 나누어 체계적으로 설명하고 있으며, Warm up에서는 본격적인 학습에 앞서 기본적인 내용을 한 번 더 확인할 수 있도록 했습니다.

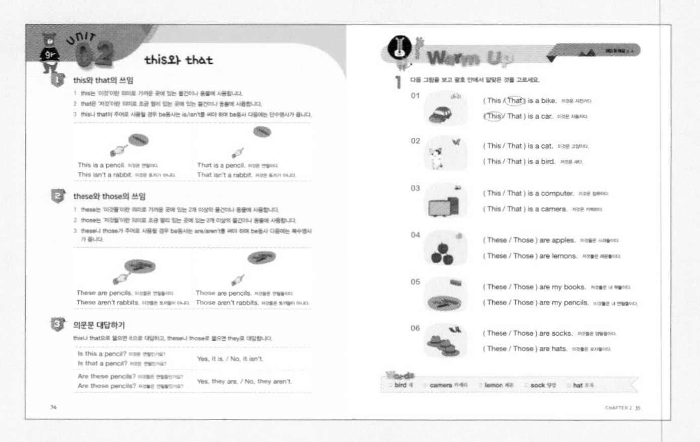

Check up

각 Unit에서 다루고 있는 문법의 기본적인 내용들을 확인할 수 있도록 했습니다.

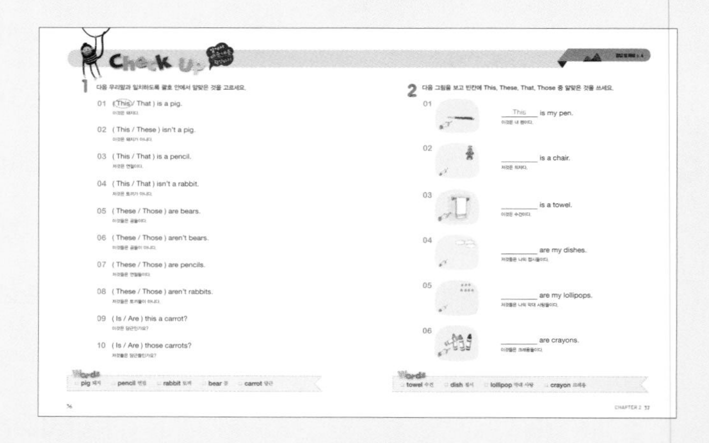

Step up

각 Unit에서 배운 내용을 활용해서 다양한 유형의 문제 풀이를 할 수 있도록 했습니다.

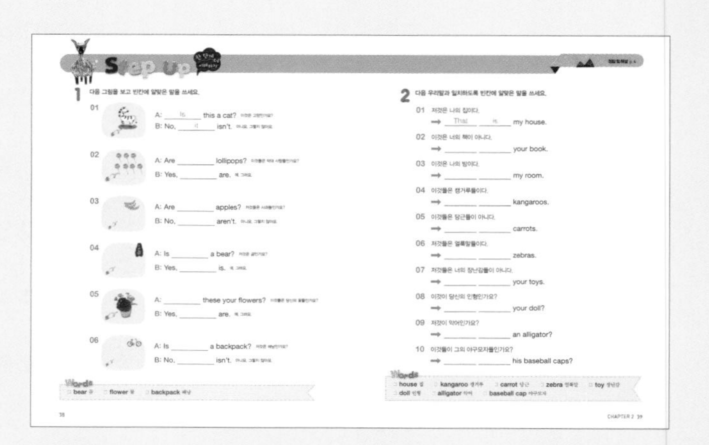

Final Check

각 Chapter의 내용을 최종 점거하는 단계로 두 Unit의 내용들을 기초로 한 문제들로 구성되어 있습니다. 특히, Writing 실력을 향상할 수 있는 문제들을 추가하였습니다.

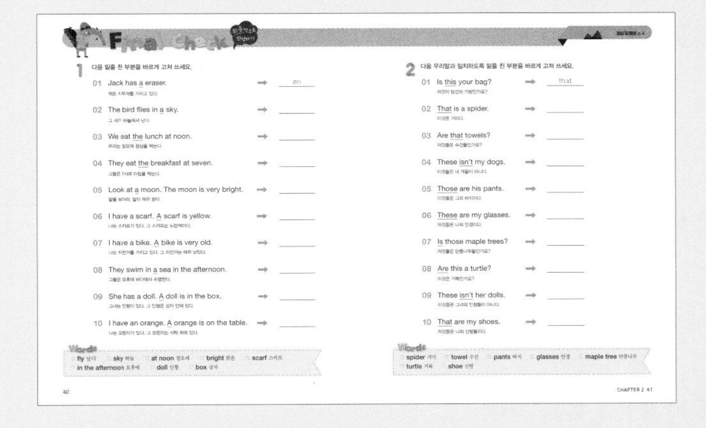
Final Check

1
01 Jack has a eraser. → an
02 The bird flies in a sky.
03 We eat the lunch at noon.
04 They eat the breakfast at seven.
05 Look at a moon. The moon is very bright.
06 I have a scarf. A scarf is yellow.
07 I have a bike. A bike is very old.
08 They swim in a sea in the afternoon.
09 She has a doll. A doll is in the box.
10 I have an orange. A orange is on the table.

Words
fly · sky · at noon · bright · scarf · in the afternoon · doll · box

2
01 Is this your bag? → that
02 That is a spider.
03 Are that towels?
04 These isn't my dogs.
05 Those are his pants.
06 These are my glasses.
07 Is those maple trees?
08 Are this a turtle?
09 These isn't her dolls.
10 That are my shoes.

Words
spider · towel · pants · glasses · maple tree · turtle · shoe

40 · CHAPTER 2 41

Exercise

각 Chapter가 끝나면 시험에서 볼 수 있는 관련 문제 유형들을 다양하게 제시했습니다. 또한 앞서 배운 내용을 다시 한 번 복습할 수 있도록 구성했습니다.

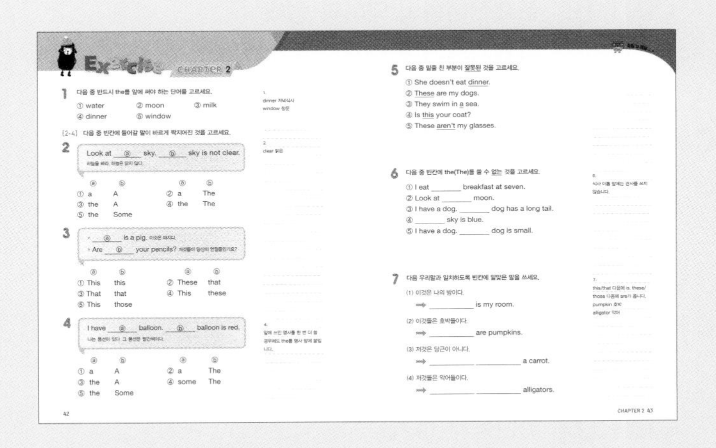
Exercise CHAPTER 2

1
① water ② moon ③ milk
④ dinner ⑤ window

2
Look at __ⓐ__ sky. __ⓑ__ sky is not clear.
① a A ② a The
③ the A ④ the The
⑤ the Some

3
· __ⓐ__ is a pig.
· Are __ⓑ__ your pencils?
① This this ② These that
③ That that ④ This these
⑤ This those

4
I have __ⓐ__ balloon. __ⓑ__ balloon is red.
① a A ② a The
③ the A ④ some The
⑤ the Some

5
① She doesn't eat dinner.
② These are my dogs.
③ They swim in a sea.
④ Is this your coat?
⑤ These aren't my glasses.

6
① I eat ______ breakfast at seven.
② Look at ______ moon.
③ I have a dog. ______ dog has a long tail.
④ ______ sky is blue.
⑤ I have a dog. ______ dog is small.

7
(1) → ______ is my room.
(2) → ______ are pumpkins.
(3) → ______ ______ a carrot.
(4) → ______ ______ alligators.

42 · CHAPTER 2 43

실전모의고사

총 3회로 구성되어 있으며 책에서 배운 모든 내용을 5지선다형 문제와 서술형 문제로 구성하여 학습자들이 최종적으로 학습한 내용을 점검할 수 있도록 했습니다.

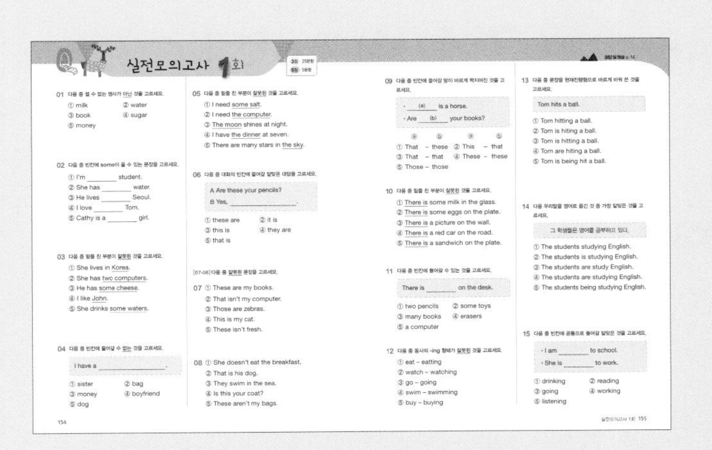
실전모의고사 1회

01
① milk ② water
③ book ④ sugar
⑤ money

02
① I'm ______ student.
② She has ______ water.
③ He lives ______ Seoul.
④ I love ______ Tom.
⑤ Cathy is a ______ girl.

03
① She lives in Korea.
② She has two computers.
③ He has some cheese.
④ I like John.
⑤ She drinks some waters.

04
I have a ______.
① sister ② bag
③ money ④ boyfriend
⑤ dog

05
① I need some salt.
② I need the computer.
③ The moon shines at night.
④ I have the dinner at seven.
⑤ There are many stars in the sky.

06
A Are these your pencils?
B Yes, ______.
① these are ② it is
③ this is ④ they are
⑤ that is

07
① These are my books.
② That isn't my computer.
③ Those are zebras.
④ This is my cat.
⑤ These isn't fresh.

08
① She doesn't eat the breakfast.
② That is his dog.
③ They swim in the sea.
④ Is this your coat?
⑤ These aren't my bags.

09
· __(a)__ is a horse.
· Are __(b)__ your books?
① That - these ② This - that
③ That - that ④ These - these
⑤ Those - those

10
① There is some milk in the glass.
② There is some eggs on the plate.
③ There is a picture on the wall.
④ There is a red car on the road.
⑤ There is a sandwich on the plate.

11
There is ______ on the desk.
① two pencils ② some toys
③ many books ④ erasers
⑤ a computer

12
① eat - eating
② watch - watching
③ go - going
④ swim - swimming
⑤ buy - buying

13
Tom hits a ball.
① Tom hitting a ball.
② Tom is hiting a ball.
③ Tom is hitting a ball.
④ Tom are hiting a ball.
⑤ Tom is being hit a ball.

14
① The students studying English.
② The students is studying English.
③ The students are study English.
④ The students are studying English.
⑤ The students being studying English.

15
· I am ______ to school.
· She is ______ to work.
① drinking ② reading
③ going ④ working
⑤ listening

154 · 155

Contents

CHAPTER 1
명사의 복수형과 셀 수 없는 명사

단수명사와 복수명사

1 명사의 복수형을 만드는 방법

하나를 뜻하는 단수명사는 아래와 같은 규칙에 따라서 여러 개를 뜻하는 복수명사로 만들 수 있습니다.

대부분 명사	명사+s	desk 책상 → desks 책상들 book 책 → books 책들 tiger 호랑이 → tigers 호랑이들
x, s, sh, ch로 끝나는 명사	명사+es	fox 여우 → foxes 여우들 watch 시계 → watches 시계들 bus 버스 → buses 버스들
[자음+y]로 끝나는 명사	y를 i로 바꾸고+es	baby 아기 → babies 아기들 story 이야기 → stories 이야기들 party 파티 → parties 파티들
f 또는 fe로 끝나는 명사	f 또는 fe를 v로 바꾸고+es	wolf 늑대 → wolves 늑대들 thief 도둑 → thieves 도둑들 wife 아내 → wives 아내들
불규칙적으로 변하는 명사	man 남자 → men 남자들 woman 여자 → women 여자들 child 아이 → children 아이들 foot 발 → feet 발들 tooth 이 → teeth 이들	

Warm Up

정답 및 해설 p. 2

1 다음 명사의 복수형을 고르세요.

01	girl 소녀	➡	(girls)	girles	girlies
02	fox 여우	➡	foxs	foxes	foxies
03	watch (손목)시계	➡	watchs	watches	watchies
04	wolf 늑대	➡	wolfes	wolfies	wolves
05	child 아이	➡	childs	childes	children
06	man 남자	➡	mans	manes	men
07	tiger 호랑이	➡	tigers	tigeres	tigeries
08	tooth 이	➡	tooths	toothes	teeth
09	bus 버스	➡	buses	bus	buss
10	woman 여자	➡	womans	women	womanes
11	dish 접시	➡	dishs	dishes	dishies
12	party 파티	➡	partys	partyes	parties

Words

□ **girl** 소녀 □ **fox** 여우 □ **watch** (손목)시계 □ **wolf** 늑대 □ **child** 아이 □ **tooth** 이
□ **dish** 접시

1 다음 보기에서 명사를 골라, 지시에 알맞은 복수형을 만드세요.

child 아이	cat 고양이	dog 개	man 남자	baby 아기
bench 벤치	story 이야기	wolf 늑대	watch (손목)시계	wife 아내

01 대부분의 명사 ➡ 명사 + s

cat ➡ cats　　________ ➡ ________

02 x, s, sh, ch로 끝나는 명사 ➡ 명사 + es

________ ➡ ________　　________ ➡ ________

03 [자음 + y]로 끝나는 명사 ➡ y를 i로 바꾸고 + es

________ ➡ ________　　________ ➡ ________

04 f 또는 fe로 끝나는 명사 ➡ f 또는 fe를 v로 바꾸고 + es

________ ➡ ________　　________ ➡ ________

05 불규칙으로 변하는 명사

________ ➡ ________　　________ ➡ ________

Words

□ child 아이　□ baby 아기　□ bench 벤치　□ story 이야기　□ wolf 늑대　□ wife 아내

2 다음 괄호 안에서 알맞은 복수형을 고르세요.

01 She has two (pencils / penciles).
그녀는 연필들이 두 개 있다.

02 The baby has five (tooth / teeth).
그 아기는 치아들이 다섯 개 있다.

03 The five (man / men) are doctors.
그 다섯 명의 남자들이 의사들이다.

04 She takes care of three (babies / babys).
그녀는 세 명의 아기들을 돌본다.

05 We have five (class / classes) today.
우리는 오늘 다섯 개의 수업들이 있다.

06 That zoo has three (wolfes / wolves).
저 동물원은 늑대들이 세 마리 있다.

07 I teach their (wifes / wives).
나는 그들의 아내들을 가르친다.

08 She has four (childs / children).
그녀는 네 명의 아이들이 있다.

09 The (storys / stories) are interesting.
그 이야기들은 재미있다.

10 I need new (socks / sockes).
나는 새로운 양말들이 필요하다.

Words

□ **take care of** ~을 돌보다 □ **class** 수업 □ **zoo** 동물원 □ **wife** 아내
□ **interesting** 재미있는 □ **sock** 양말

Step Up 한 단계 더 이해하기

1 다음 보기의 단어를 이용하여 빈칸에 알맞은 것을 쓰세요.

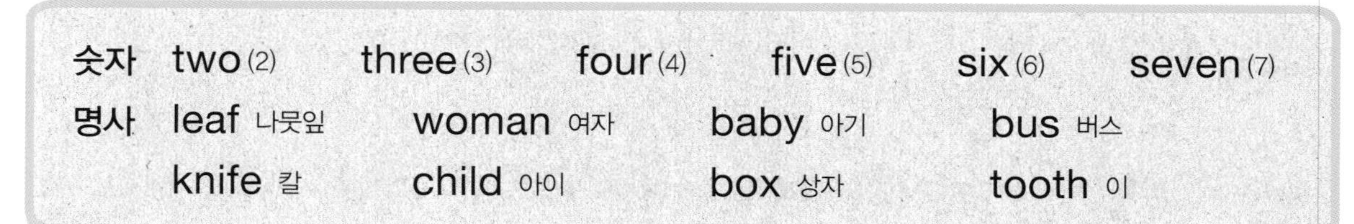

숫자 two (2) three (3) four (4) five (5) six (6) seven (7)

명사 leaf 나뭇잎 woman 여자 baby 아기 bus 버스
knife 칼 child 아이 box 상자 tooth 이

01

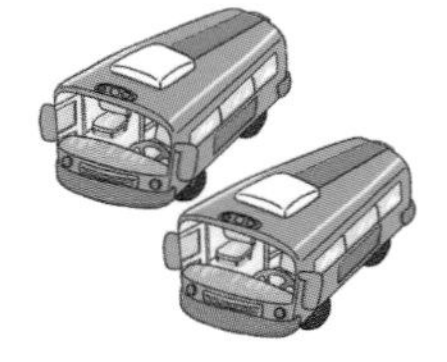

two buses

02

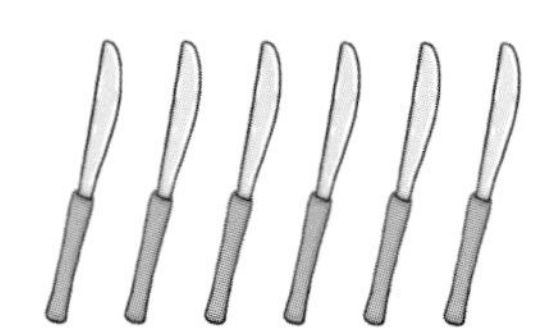

_______ _______

03

_______ _______

04

_______ _______

05

_______ _______

06

_______ _______

07

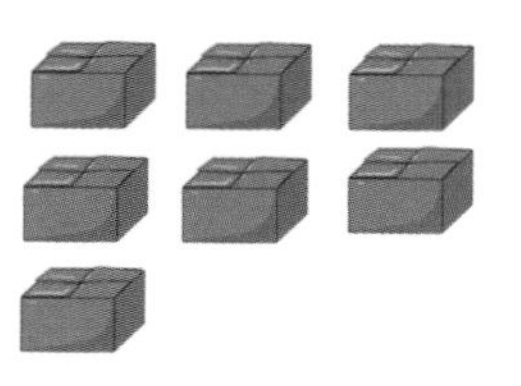

_______ _______

08

_______ _______

Words

□ leaf 나뭇잎 □ woman 여자 □ baby 아기 □ bus 버스 □ knife 칼 □ child 아이
□ box 상자 □ tooth 이

2 다음 주어진 단어를 이용하여 문장을 완성하세요.

01 She has ___two watches___. (two / watch)
그녀는 두 개의 시계들이 있다.

02 We need ______________. (five / bus)
우리는 다섯 대의 버스들이 필요하다.

03 ______________ are in the basket. (Four / cookie)
네 개의 과자들이 바구니에 있다.

04 ______________ are on the bed. (Two / baby)
두 명의 아기들이 침대에 있다.

05 I have ______________. (five / child)
나는 다섯 명의 아이들이 있다.

06 ______________ are in the restaurant. (Six / woman)
여섯 명의 여자들이 식당에 있다.

07 I'm going to buy ______________. (two / knife)
나는 두 개의 칼들을 살 것이다

08 She has ______________. (four / cat)
그녀는 네 마리 고양이들이 있다.

09 I want ______________. (three / box)
나는 세 개의 상자들을 원한다.

10 I teach ______________. (seven / child)
나는 일곱 명의 아이들을 가르친다.

Words
□ need 필요하다 □ cookie 과자 □ bed 침대 □ restaurant 식당 □ buy 사다
□ knife 칼 □ teach 가르치다

셀 수 없는 명사

1 셀 수 없는 명사의 의미

셀 수 없는 명사란 우리가 한 개, 두 개 이렇게 셀 수 없는 명사를 의미합니다. 필통 안에 들어 있는 연필들은 한 개, 두 개 셀 수가 있습니다. 그러나 물(water)이나 우유(milk)와 같은 것은 한 개, 두 개 셀 수가 없습니다. 이러한 명사를 셀 수 없는 명사라고 합니다.

2 셀 수 없는 명사

액체로 된 물질	water 물 milk 우유 juice 주스
사람이름, 도시이름, 국가이름 앞	Jane 제인(사람이름) Korea 한국 Busan 부산
몇몇 음식물	salt 소금 cheese 치즈 bread 빵 rice 쌀
그 밖에 셀 수 없는 명사	money 돈 homework 숙제 peace 평화

TIPS
- 사람이름이나 국가이름의 첫 번째 알파벳은 반드시 대문자로 써야 합니다.
- 소금이나 쌀처럼 수많은 알갱이로 이루어진 것들은 우리가 하나하나 셀 수가 없습니다.
- 셀 수 없는 명사 앞에는 a나 an을 쓸 수 없으며, 단어 끝에 s나 es를 붙여 복수형을 만들 수도 없습니다.

  예) a salt (×) a Jane (×) a Korea (×) rices (×)

3 some의 사용

some은 '얼마간의', '다소의', '조금의'라는 의미를 가지고 있습니다.

복수명사나 셀 수 없는 명사 앞에 some을 쓸 수 있습니다. ★ 이름 앞에는 some을 쓸 수 없습니다.	I have **some** oranges. 나는 오렌지들이 조금 있다. I have **some** milk. 나는 우유가 조금 있다. I have **some** water. 나는 물이 조금 있다.

TIPS a(an)의 사용
- a나 an은 셀 수 있는 명사 앞에 사용하며, 사물 한 개 또는 사람 한 명을 의미합니다. 보통 '하나'라고 해석하지 않습니다.

  예) a book 책 a dog 개 a boy 소년 a hat 모자
- an은 모음 소리(a, e, i, o, u)로 시작하는 명사 앞에 씁니다.

  예) an apple 사과 an orange 오렌지 an eraser 지우개
- 복수명사 앞이나 셀 수 없는 명사 앞에는 a나 an을 쓸 수 없습니다.

  예) ~~a~~ books 책들 ~~an~~ oranges 오렌지들 ~~a~~ salt 소금 ~~a~~ water 물

Warm Up

정답 및 해설 p. 2

1 다음 중 올바른 표현에 ○표 하세요.

01	a orange	____	some oranges	○
02	a eraser	____	an eraser	____
03	a Seoul	____	Seoul	____
04	a water	____	some water	____
05	an apples	____	some apples	____
06	a sugar	____	some sugar	____
07	some onion	____	some onions	____
08	a salt	____	some salt	____
09	a book	____	a books	____
10	a students	____	some students	____
11	some eggs	____	some egg	____
12	a actor	____	an actor	____

Words

□ **eraser** 지우개 □ **sugar** 설탕 □ **onion** 양파 □ **salt** 소금 □ **actor** 배우

1 다음 중 앞에 a나 an을 쓸 수 없는 단어에 ×표 하세요.

01	___ basket	× money	___ toy
02	___ brush	___ milk	___ zebra
03	___ oranges	___ banana	___ train
04	___ dog	___ ants	___ lion
05	___ umbrella	___ water	___ table
06	___ eraser	___ cat	___ Seoul
07	___ leg	___ nose	___ Johnson
08	___ bed	___ Korea	___ face
09	___ rice	___ calendar	___ bus
10	___ watches	___ computer	___ telephone
11	___ car	___ bottles	___ park
12	___ hen	___ student	___ cheese

Words

□ **money** 돈 □ **ant** 개미 □ **face** 얼굴 □ **rice** 쌀 □ **calendar** 달력 □ **bottle** 병
□ **hen** 암탉 □ **cheese** 치즈

2 다음 괄호 안에서 알맞은 것을 고르세요. (둘 다 필요 없으면 ×에 ○표 하세요.)

01 I have (a / an / some) candies.
나는 사탕들이 조금 있다.

02 I live in (a / some / X) Busan.
나는 부산에 산다.

03 I like (a / some / X) Jane.
나는 제인을 좋아한다.

04 I drink (a / an / some) milk every day.
나는 매일 우유를 조금 마신다.

05 She has (a / an / some) cap.
그녀는 야구모자를 가지고 있다.

06 We need (a / an / some) sugar.
우리는 설탕이 조금 필요하다.

07 They are from (a / some / X) Korea.
그들은 한국에서 왔다.

08 He has (a / an / X) five children.
그는 다섯 명의 아이들이 있다.

09 I need (a / some / X) chairs.
나는 의자들이 조금 필요하다.

10 We need (a / some / X) computer.
우리는 컴퓨터가 필요하다.

Words

- □ **candy** 사탕 □ **every day** 매일 □ **cap** 야구모자 □ **children** 아이들 □ **chair** 의자
- □ **computer** 컴퓨터

1 다음 빈칸에 a나 an 또는 some을 쓰세요. (모두 필요 없는 곳에 ×표 하세요.)

01 She needs ___an___ eraser.
그녀는 지우개가 필요하다.

02 I eat ________ bread in the morning.
나는 아침에 빵을 조금 먹는다.

03 We want ________ juice.
우리는 주스를 조금 원한다.

04 They live in ________ Seoul.
그들은 서울에 산다.

05 I love ________ Jessie very much.
나는 제시를 매우 사랑한다.

06 We have ________ five cats.
우리는 다섯 마리 고양이들이 있다.

07 They are going to buy ________ vegetables.
그들은 야채들을 조금 살 것이다.

08 I have ________ orange.
나는 오렌지가 있다.

09 She has ________ lemons.
그녀는 레몬들이 조금 있다.

10 My mom has ________ car.
나의 엄마는 자동차가 있다.

Words

□ **eraser** 지우개 □ **bread** 빵 □ **in the morning** 아침에 □ **buy** 사다
□ **vegetable** 야채 □ **orange** 오렌지 □ **lemon** 레몬

2 다음 빈칸에 a나 an 또는 some을 쓰세요. (모두 필요 없는 곳에 ×표 하세요.)

01 I need ___a___ basket
나는 바구니가 필요하다.

02 I have ________ water.
나는 물이 조금 있다.

03 We need ________ money.
우리는 돈이 조금 필요하다.

04 They live in ________ Canada.
그들은 캐나다에 산다.

05 I meet ________ Tom every day.
나는 톰을 매일 만난다.

06 We eat ________ cheese every day.
우리는 매일 치즈를 조금 먹는다.

07 They are going to buy ________ salt at the market.
그들은 시장에서 소금을 조금 살 것이다.

08 I have ________ oranges.
나는 오렌지들이 조금 있다.

09 She has ________ apple.
그녀는 사과가 있다.

10 Cathy has ________ potato.
캐시는 감자가 있다.

Words
□ **basket** 바구니 □ **live in** ~에 살다 □ **meet** 만나다 □ **every day** 매일 □ **eat** 먹다
□ **salt** 소금 □ **potato** 감자

1 다음 밑줄 친 부분을 우리말과 일치하도록 고쳐 쓰세요.

01 She has two watch. → watches
그녀는 두 개의 시계들이 있다.

02 We need five child. → ________
우리는 다섯 명의 아이들이 필요하다.

03 Five apple are in the basket. → ________
다섯 개의 사과들이 바구니에 있다.

04 Three baby are on the bed. → ________
세 명의 아기들이 침대에 있다.

05 The baby has two tooths. → ________
그 아기는 두 개의 치아들이 있다.

06 Five man are in the room. → ________
다섯 명의 남자들이 방에 있다.

07 I need two knife. → ________
나는 두 개의 칼들이 필요하다.

08 She has six candle. → ________
그녀는 여섯 개의 양초들이 있다.

09 We need three box. → ________
우리는 세 개의 상자들이 필요하다.

10 I teach seven woman. → ________
나는 일곱 명의 여자들을 가르친다.

Words

- □ need 필요하다
- □ basket 바구니
- □ baby 아기
- □ in the room 방에
- □ knife 칼
- □ candle 양초
- □ teach 가르치다

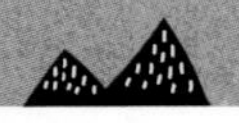

정답 및 해설 p. 2

2 다음 밑줄 친 부분을 우리말과 일치하도록 고쳐 쓰세요.

01 I have some onion. → some onions
나는 양파들이 조금 있다.

02 I have a water. → ____________
나는 물이 조금 있다.

03 I meet a Jane every day. → ____________
나는 제인을 매일 만난다.

04 I live in a Korea. → ____________
나는 한국에 산다.

05 She needs some egg. → ____________
그녀는 계란들이 조금 필요하다.

06 She wants some milks. → ____________
그녀는 우유를 조금 원한다.

07 Tom buys a flowers every day. → ____________
톰은 매일 꽃들을 조금 산다.

08 Jake and John are actor. → ____________
제이크와 존은 배우들이다.

09 I have a money. → ____________
나는 돈이 조금 있다.

10 Jessie lives in a Busan. → ____________
제시는 부산에 산다.

Words

- □ **onion** 양파
- □ **meet** 만나다
- □ **every day** 매일
- □ **live in** ~에 살다
- □ **egg** 계란
- □ **flower** 꽃
- □ **actor** 배우

Exercise CHAPTER 1

1 다음 중 명사의 복수형이 올바르지 않은 것을 고르세요.

① dog – dogs ② tooth – tooths
③ baby – babies ④ child – children
⑤ wolf – wolves

2 다음 중 셀 수 없는 명사가 아닌 것을 고르세요.

① milk ② water
③ salt ④ sugar
⑤ eraser

2.
셀 수 없는 명사는 복수형으로 쓸 수 없습니다.

3 다음 중 올바른 표현이 아닌 것을 고르세요.

① some onions ② some salt
③ a cat ④ a sugar
⑤ some apples

3.
some은 복수명사 앞이나 셀 수 없는 명사 앞에 쓸 수 있습니다.

4 다음 중 빈칸에 some이 올 수 있는 문장을 고르세요.

① I live in ________ Busan.
② I have ________ cat.
③ He has ________ toys.
④ I like ________ Tom.
⑤ She lives in ________ Korea.

5 다음 중 밑줄 친 부분이 잘못된 것을 고르세요.

① I live in Seoul. ② She has two teeth.
③ He has some books. ④ I love a Jane.
⑤ She drinks some water.

6 다음 명사의 복수형을 쓰세요.

(1) woman ➡ ____________

(2) foot ➡ ____________

(3) baby ➡ ____________

(4) knife ➡ ____________

7 다음 빈칸에 공통으로 들어갈 수 있는 것을 쓰세요.

- I drink ____________ milk in the morning.
- I have ____________ cookies.

➡ ____________

8 다음 우리말과 일치하도록 밑줄 친 부분을 바르게 고쳐 쓰세요.

(1) I have a money. ➡ ____________
나는 돈이 조금 있다.

(2) Three man are in the room. ➡ ____________
세 명의 남성들이 방에 있다.

(3) We need five box. ➡ ____________
나는 다섯 개의 상자들이 필요하다.

5.
사람이름 앞에는 a나 some을 쓸 수 없습니다.

7.
some은 복수명사 앞이나 셀 수 없는 명사 앞에 쓸 수 있습니다.

다음 단어의 뜻을 쓰고, 단어를 더 써보세요.

01	baby	아기	baby	02	bottle		
03	bread			04	bus		
05	candle			06	candy		
07	cheese			08	child		
09	class			10	cookie		
11	dish			12	eraser		
13	flower			14	hen		
15	interesting			16	knife		
17	leaf			18	meet		
19	money			20	need		
21	onion			22	potato		
23	rice			24	salt		
25	story			26	sugar		
27	teach			28	tooth		
29	wife			30	wolf		

CHAPTER 2
정관사 the와 this, that

UNIT 01 정관사 the
UNIT 02 this와 that

정관사 the

1 the의 쓰임

1 the는 셀 수 있는 명사와 셀 수 없는 명사 앞에 모두 올 수 있습니다.

the students 그 학생들 **the** boy 그 소년
the water 그 물 **the** salt 그 소금

2 특정한 것을 의미할 때 명사 앞에 the를 사용합니다. 이때 the를 '그 ~'라고 해석합니다.

the students 그 학생들 *대화하는 사람이 모두 알고 있는 특정의 학생들
the boy 그 소년 **the** water 그 물 **the** salt 그 소금

- I teach **the** boys English. 나는 그 소년들에게 영어를 가르친다.
(대화하는 사람이 모두 알고 있는 특정의 소년들)
- I teach boys English. 나는 소년들에게 영어를 가르친다. (대화하는 사람이 모두 알지 못하는 소년들)

3 이미 앞에 언급한 명사를 한 번 더 사용할 때 그 명사 앞에 the를 사용합니다.

- I have a dog. **The** dog is very fast. 나는 개가 있다. 그 개는 매우 빠르다.

TIPS a/an과 the의 차이

a나 an은 셀 수 있는 단수명사 앞에 사용하며 특별히 정해지지 않은 것을 의미합니다.

- I have a dog at home. 나는 집에 개가 있다. *대화하는 상대방은 개를 본 적이 없습니다.
- I have the dog at home. 나는 집에 그 개가 있다. *대화하는 상대방도 그 개를 알고 있습니다.
- I need a computer. 나는 컴퓨터가 필요하다. *어떤 특정한 컴퓨터가 아닌 일반적인 컴퓨터를 의미합니다.
- I need the computer. 나는 그 컴퓨터가 필요하다. *대화하는 상대방도 컴퓨터가 어떤 컴퓨터인지 알고 있습니다.

2 반드시 앞에 the를 써야 하는 명사

the sun 태양	**the** moon 달	**the** sky 하늘	**the** sea 바다

- **The** sun rises in the east. 태양은 동쪽에서 떠오른다.
- There is a big cloud in **the** sky. 하늘에 큰 구름이 있다.

3 a/an 또는 the를 쓰지 않는 경우

식사 이름 앞에는 a/an 또는 the를 쓰지 않습니다.	breakfast 아침식사 lunch 점심식사 dinner 저녁식사
	I have the dinner at seven. (×) I have dinner at seven. (○) 나는 7시에 저녁식사를 한다.

Warm Up

정답 및 해설 p. 3

1 다음 보기에서 a를 앞에 쓸 수 있는 명사를 고르세요.

pencil 연필	house 집	water 물	ant 개미	flower 꽃
moon 달	sun 태양	tree 나무	dinner 저녁식사	lunch 점심식사

pencil

____

2 다음 보기에서 반드시 앞에 the를 써야 하는 명사를 고르세요.

dog 개	car 자동차	sun 태양	tiger 호랑이	sugar 설탕
sea 바다	sky 하늘	desk 책상	salt 소금	breakfast 아침식사

____

3 다음 보기에서 a/an 또는 the를 앞에 쓸 수 없는 명사를 고르세요.

elephant 코끼리	bench 벤치	cheese 치즈	watch 시계	dinner 저녁식사
breakfast 아침식사	sea 바다	bird 새	orange 오렌지	lunch 점심식사

____

Words

□ house 집 □ ant 개미 □ flower 꽃 □ moon 달 □ sun 태양 □ tree 나무
□ dinner 저녁식사 □ lunch 점심식사 □ sea 바다 □ sky 하늘 □ breakfast 아침식사
□ elephant 코끼리 □ bench 벤치 □ cheese 치즈

1 다음 단어 앞에 들어갈 수 있는 관사를 고르세요. (필요 없으면 ×에 ○표 하세요.)

01 (a / an / the) water

02 (a / an / the) sun

03 (a / an / X) lunch

04 (a / an / X) elephant

05 (a / an / the) students

06 (a / an / the) salt

07 (a / an / X) child

08 (a / the / X) dinner

09 (a / an / the) moon

10 (a / an / the) bags

11 (a / an / X) bike

12 (a / an / the) umbrellas

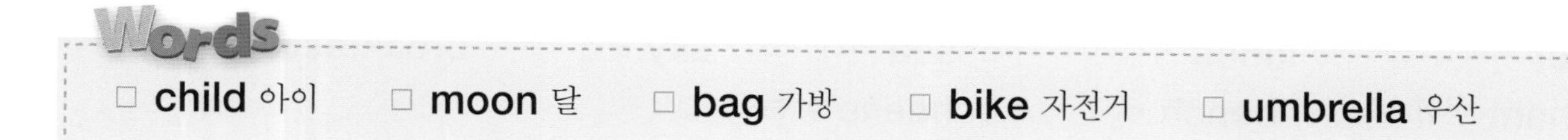

정답 및 해설 p.3

2 다음 우리말과 일치하도록 괄호 안에서 알맞은 관사를 고르세요.

01 I have (a / an / the) dog. (A / An / The) dog is black.
나는 개가 있다. 그 개는 검은색이다.

02 It's (a / an / the) apple. (A / An / The) apple is red.
그것은 사과다. 그 사과는 빨간색이다.

03 She has (a / an / the) car. (A / An / The) car is old.
그녀는 자동차가 있다. 그 자동차는 낡았다.

04 He has (a / an / the) cat. (A / An / The) cat is very cute.
그는 고양이가 있다. 그 고양이는 매우 귀엽다.

05 I have (a / an / the) banana. (A / An / The) banana is green.
나는 바나나가 있다. 그 바나나는 초록색이다.

06 I have (a / an / the) towel. (A / An / The) towel is clean.
나는 수건이 있다. 그 수건은 깨끗하다.

07 Cathy meets (a / an / the) boy. (A / An / The) boy is tall.
캐시는 소년을 만난다. 그 소년은 키가 크다.

08 I see (a / an / the) moon. (A / An / The) moon is very bright.
나는 달을 본다. 그 달은 매우 밝다.

09 Look at (a / an / the) sky. (A / An / The) sky is blue.
하늘을 보아라. 하늘이 푸르다.

10 Amy has (a / an / the) ball. (A / An / The) ball is white.
에이미는 공을 가지고 있다. 그 공은 하얀색이다.

Words

□ **black** 검은색(의) □ **cute** 귀여운 □ **green** 초록색(의) □ **towel** 수건 □ **clean** 깨끗한
□ **meet** 만나다 □ **bright** 밝은 □ **look at** ~을 보다 □ **ball** 공 □ **white** 하얀색(의)

1 다음 빈칸에 a/an 또는 the를 쓰세요. (필요 없는 곳에는 ×표 하세요.)

01 She has ___an___ eraser.
그녀는 지우개를 가지고 있다.

02 It's ________ onion.
그것은 양파다.

03 Look at ________ sky.
하늘을 봐라.

04 I eat ________ lunch at noon.
나는 정오에 점심을 먹는다.

05 We swim in ________ sea.
우리는 바다에서 수영을 한다.

06 They don't eat ________ breakfast.
그들은 아침을 먹지 않는다.

07 It's ________ cucumber.
그것은 오이다.

08 I have ________ umbrella.
나는 우산을 가지고 있다.

09 They are going to walk on ________ Moon.
그들은 달에서 걸을 것이다.

10 It's ________ airplane.
그것은 비행기다.

Words

☐ **eraser** 지우개 ☐ **onion** 양파 ☐ **sky** 하늘 ☐ **at noon** 정오에 ☐ **swim** 수영하다
☐ **cucumber** 오이 ☐ **umbrella** 우산 ☐ **airplane** 비행기

정답 및 해설 p. 3

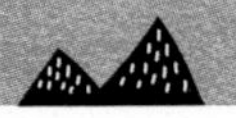

2 다음 우리말과 일치하도록 빈칸에 알맞은 관사를 쓰세요.

01 I have ___a___ computer. ___The___ computer is new.
나는 컴퓨터가 있다. 그 컴퓨터는 새것이다.

02 It's __________ bike. __________ bike is red.
그것은 자전거다. 그 자전거는 빨간색이다.

03 She has __________ cat. __________ cat is very smart.
그녀는 고양이가 있다. 그 고양이는 매우 영리하다.

04 He has __________ goat. __________ goat is black.
그는 염소가 있다. 그 염소는 검정색이다.

05 Look at __________ moon. __________ moon is very bright.
달을 보아라. 달이 매우 밝다.

06 I have __________ balloon. __________ balloon is yellow.
나는 풍선이 있다. 그 풍선은 노란색이다.

07 Tom stays at __________ hotel. __________ hotel is very nice.
톰은 호텔에 머문다. 그 호텔은 매우 좋다.

08 I see __________ sky. __________ sky is clear.
나는 하늘을 본다. 하늘은 맑다.

09 She has __________ watch. __________ watch is in the box.
그녀는 (손목)시계가 있다. 그 (손목)시계는 상자 안에 있다.

10 I have __________ orange. __________ orange is on the table.
나는 오렌지가 있다. 그 오렌지는 식탁 위에 있다.

Words

- □ **computer** 컴퓨터 □ **bike** 자전거 □ **sister** 언니 □ **smart** 영리한 □ **goat** 염소
- □ **bright** 밝은 □ **balloon** 풍선 □ **clear** 맑은

this와 that

1 this와 that의 쓰임

1 this는 '이것'이란 의미로 가까운 곳에 있는 물건이나 동물에 사용합니다.

2 that은 '저것'이란 의미로 조금 멀리 있는 곳에 있는 물건이나 동물에 사용합니다.

3 this나 that이 주어로 사용될 경우 be동사는 is/isn't를 써야 하며 be동사 다음에는 단수명사가 옵니다.

This is a pencil. 이것은 연필이다. **This** isn't a rabbit. 이것은 토끼가 아니다.	**That** is a pencil. 저것은 연필이다. **That** isn't a rabbit. 저것은 토끼가 아니다.

2 these와 those의 쓰임

1 these는 '이것들'이란 의미로 가까운 곳에 있는 2개 이상의 물건이나 동물에 사용합니다.

2 those는 '저것들'이란 의미로 조금 멀리 있는 곳에 있는 2개 이상의 물건이나 동물에 사용합니다.

3 these나 those가 주어로 사용될 경우 be동사는 are/aren't를 써야 하며 be동사 다음에는 복수명사가 옵니다.

These are pencils. 이것들은 연필들이다. **These** aren't rabbits. 이것들은 토끼들이 아니다.	**Those** are pencils. 저것들은 연필들이다. **Those** aren't rabbits. 저것들은 토끼들이 아니다.

3 의문문 대답하기

this나 that으로 물으면 it으로 대답하고, these나 those로 물으면 they로 대답합니다.

Is this a pencil? 이것은 연필인가요? **Is that** a pencil? 저것은 연필인가요?	Yes, **it** is. / No, **it** isn't.
Are these pencils? 이것들은 연필들인가요? **Are those** pencils? 저것들은 연필들인가요?	Yes, **they** are. / No, **they** aren't.

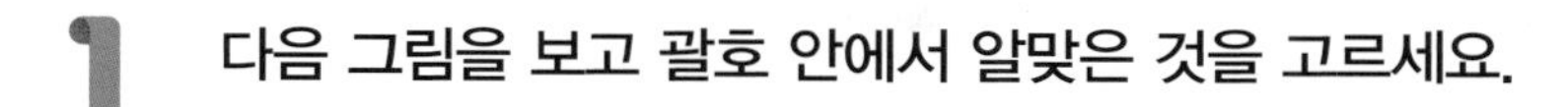

Warm Up

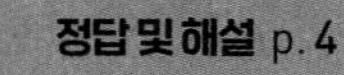
정답 및 해설 p. 4

1 다음 그림을 보고 괄호 안에서 알맞은 것을 고르세요.

01

(This / That) is a bike. 저것은 자전거다.

(This / That) is a car. 이것은 자동차다.

02

(This / That) is a cat. 이것은 고양이다.

(This / That) is a bird. 저것은 새다.

03

(This / That) is a computer. 이것은 컴퓨터다.

(This / That) is a camera. 저것은 카메라다.

04

(These / Those) are apples. 이것들은 사과들이다.

(These / Those) are lemons. 저것들은 레몬들이다.

05

(These / Those) are my books. 저것들은 내 책들이다.

(These / Those) are my pencils. 이것들은 내 연필들이다.

06

(These / Those) are socks. 저것들은 양말들이다.

(These / Those) are hats. 이것들은 모자들이다.

Words

□ bird 새 □ camera 카메라 □ lemon 레몬 □ sock 양말 □ hat 모자

1 다음 우리말과 일치하도록 괄호 안에서 알맞은 것을 고르세요.

01 (This / That) is a pig.
이것은 돼지다.

02 (This / These) isn't a pig.
이것은 돼지가 아니다.

03 (This / That) is a pencil.
저것은 연필이다.

04 (This / That) isn't a rabbit.
저것은 토끼가 아니다.

05 (These / Those) are bears.
이것들은 곰들이다.

06 (These / Those) aren't bears.
이것들은 곰들이 아니다.

07 (These / Those) are pencils.
저것들은 연필들이다.

08 (These / Those) aren't rabbits.
저것들은 토끼들이 아니다.

09 (Is / Are) this a carrot?
이것은 당근인가요?

10 (Is / Are) those carrots?
저것들은 당근들인가요?

□ **pig** 돼지 □ **pencil** 연필 □ **rabbit** 토끼 □ **bear** 곰 □ **carrot** 당근

정답 및 해설 p. 4

2 다음 그림을 보고 빈칸에 This, These, That, Those 중 알맞은 것을 쓰세요.

01

____This____ is my pen.
이것은 내 펜이다.

02

__________ is a chair.
저것은 의자다.

03

__________ is a towel.
이것은 수건이다.

04

__________ are my dishes.
저것들은 나의 접시들이다.

05

__________ are my lollipops.
저것들은 나의 막대 사탕들이다.

06

__________ are crayons.
이것들은 크레용들이다.

Words

□ **towel** 수건 □ **dish** 접시 □ **lollipop** 막대 사탕 □ **crayon** 크레용

1 다음 그림을 보고 빈칸에 알맞은 말을 쓰세요.

01

A: ___Is___ this a cat? 이것은 고양인가요?
B: No, ___it___ isn't. 아니요, 그렇지 않아요.

02

A: Are ________ lollipops? 이것들은 막대 사탕들인가요?
B: Yes, ________ are. 예, 그래요.

03

A: Are ________ apples? 저것들은 사과들인가요?
B: No, ________ aren't. 아니요, 그렇지 않아요.

04

A: Is ________ a bear? 저것은 곰인가요?
B: Yes, ________ is. 예, 그래요.

05

A: ________ these your flowers? 이것들은 당신의 꽃들인가요?
B: Yes, ________ are. 예, 그래요.

06

A: Is ________ a backpack? 저것은 배낭인가요?
B: No, ________ isn't. 아니요, 그렇지 않아요.

Words
- □ bear 곰
- □ flower 꽃
- □ backpack 배낭

정답 및 해설 p. 4

2 다음 우리말과 일치하도록 빈칸에 알맞은 말을 쓰세요.

01 저것은 나의 집이다.
➡ ___That___ ___is___ my house.

02 이것은 너의 책이 아니다.
➡ ________ ________ your book.

03 이것은 나의 방이다.
➡ ________ ________ my room.

04 이것들은 캥거루들이다.
➡ ________ ________ kangaroos.

05 이것들은 당근들이 아니다.
➡ ________ ________ carrots.

06 저것들은 얼룩말들이다.
➡ ________ ________ zebras.

07 저것들은 너의 장난감들이 아니다.
➡ ________ ________ your toys.

08 이것이 당신의 인형인가요?
➡ ________ ________ your doll?

09 저것이 악어인가요?
➡ ________ ________ an alligator?

10 이것들이 그의 야구모자들인가요?
➡ ________ ________ his baseball caps?

Words
- □ **house** 집
- □ **kangaroo** 캥거루
- □ **carrot** 당근
- □ **zebra** 얼룩말
- □ **toy** 장난감
- □ **doll** 인형
- □ **alligator** 악어
- □ **baseball cap** 야구모자

1 다음 밑줄 친 부분을 바르게 고쳐 쓰세요.

01 Jack has <u>a</u> eraser. → an
잭은 지우개를 가지고 있다.

02 The bird flies in <u>a</u> sky. → ________
그 새가 하늘에서 난다.

03 We eat <u>the</u> lunch at noon. → ________
우리는 정오에 점심을 먹는다.

04 They eat <u>the</u> breakfast at seven. → ________
그들은 7시에 아침을 먹는다.

05 Look at <u>a</u> moon. The moon is very bright. → ________
달을 보아라. 달이 매우 밝다.

06 I have a scarf. <u>A</u> scarf is yellow. → ________
나는 스카프가 있다. 그 스카프는 노란색이다.

07 I have a bike. <u>A</u> bike is very old. → ________
나는 자전거를 가지고 있다. 그 자전거는 매우 낡았다.

08 They swim in <u>a</u> sea in the afternoon. → ________
그들은 오후에 바다에서 수영한다.

09 She has a doll. <u>A</u> doll is in the box. → ________
그녀는 인형이 있다. 그 인형은 상자 안에 있다.

10 I have an orange. <u>A</u> orange is on the table. → ________
나는 오렌지가 있다. 그 오렌지는 식탁 위에 있다.

Words

- □ **fly** 날다 □ **sky** 하늘 □ **at noon** 정오에 □ **bright** 밝은 □ **scarf** 스카프
- □ **in the afternoon** 오후에 □ **doll** 인형 □ **box** 상자

2 다음 우리말과 일치하도록 밑줄 친 부분을 바르게 고쳐 쓰세요.

01 Is this your bag? → that
저것이 당신의 가방인가요?

02 That is a spider. → ________
이것은 거미다.

03 Are that towels? → ________
저것들은 수건들인가요?

04 These isn't my dogs. → ________
이것들은 내 개들이 아니다.

05 Those are his pants. → ________
이것들은 그의 바지이다.

06 These are my glasses. → ________
저것들은 나의 안경이다.

07 Is those maple trees? → ________
저것들은 단풍나무들인가요?

08 Are this a turtle? → ________
이것은 거북인가요?

09 These isn't her dolls. → ________
이것들은 그녀의 인형들이 아니다.

10 That are my shoes. → ________
저것들은 나의 신발들이다.

Words
□ spider 거미 □ towel 수건 □ pants 바지 □ glasses 안경 □ maple tree 단풍나무
□ turtle 거북 □ shoe 신발

Exercise CHAPTER 2

1 다음 중 반드시 **the**를 앞에 써야 하는 단어를 고르세요.

① water ② moon ③ milk
④ dinner ⑤ window

[2-4] 다음 중 빈칸에 들어갈 말이 바르게 짝지어진 것을 고르세요.

2

Look at ____ⓐ____ sky. ____ⓑ____ sky is not clear.
하늘을 봐라. 하늘은 맑지 않다.

	ⓐ	ⓑ		ⓐ	ⓑ
①	a	A	②	a	The
③	the	A	④	the	The
⑤	the	Some			

3

- ____ⓐ____ is a pig. 이것은 돼지다.
- Are ____ⓑ____ your pencils? 저것들이 당신의 연필들인가요?

	ⓐ	ⓑ		ⓐ	ⓑ
①	This	this	②	These	that
③	That	that	④	This	these
⑤	This	those			

4

I have ____ⓐ____ balloon. ____ⓑ____ balloon is red.
나는 풍선이 있다. 그 풍선은 빨간색이다.

	ⓐ	ⓑ		ⓐ	ⓑ
①	a	A	②	a	The
③	the	A	④	some	The
⑤	the	Some			

1.
dinner 저녁식사
window 창문

2.
clear 맑은

4.
앞에 쓰인 명사를 한 번 더 쓸 경우에도 the를 명사 앞에 붙입니다.

5 다음 중 밑줄 친 부분이 잘못된 것을 고르세요.

① She doesn't eat dinner.
② These are my dogs.
③ They swim in a sea.
④ Is this your coat?
⑤ These aren't my glasses.

6 다음 중 빈칸에 the(The)를 쓸 수 없는 것을 고르세요.

① I eat ________ breakfast at seven.
② Look at ________ moon.
③ I have a dog. ________ dog has a long tail.
④ ________ sky is blue.
⑤ I have a cat. ________ cat is small.

7 다음 우리말과 일치하도록 빈칸에 알맞은 말을 쓰세요.

(1) 이것은 나의 방이다.

➡ ____________ is my room.

(2) 이것들은 호박들이다.

➡ ____________ are pumpkins.

(3) 저것은 당근이 아니다.

➡ ____________ ____________ a carrot.

(4) 저것들은 악어들이다.

➡ ____________ ____________ alligators.

6.
식사 이름 앞에는 관사를 쓰지 않습니다.

7.
this/that 다음에 is, these/those 다음에 are가 옵니다.
pumpkin 호박
alligator 악어

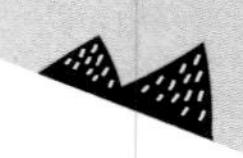

다음 단어의 뜻을 쓰고, 단어를 더 써보세요.

01 airplane	비행기	airplane	
02 alligator			
03 backpack			
04 balloon			
05 bench			
06 breakfast			
07 bright			
08 camera			
09 carrot			
10 clean			
11 crayon			
12 cucumber			
13 cute			
14 dinner			
15 elephant			
16 goat			
17 house			
18 kangaroo			
19 lunch			
20 moon			
21 pants			
22 pumpkin			
23 rabbit			
24 smart			
25 spider			
26 towel			
27 toy			
28 turtle			
29 umbrella			
30 zebra			

CHAPTER 3
There is / There are

There is / There are

1 There is와 There are의 쓰임

1 There is / There are는 '~이 있다'라는 의미로 there는 우리말로 해석하지 않아도 됩니다.

2 There is 다음에는 단수명사가 오고, There are 다음에는 복수명사가 옵니다.

There is+a/an 단수명사 **(~이 있다)**	There is **a book** on the desk. 책상 위에 책이 있다. There is **an apple** on the table. 식탁 위에 사과가 있다.
There are+(some) 복수명사 **(~들이 있다)**	There are **books** on the desk. 책상 위에 책들이 있다. There are (some) **apples** on the table. 식탁 위에 사과들이 (조금) 있다.

3 There is 다음에는 셀 수 없는 명사가 올 수 있습니다.

There is+(some) 셀 수 없는 명사 **(~이 있다)**	There is **some milk** in the glass. 유리잔에 우유가 조금 있다. There is **some cheese** in the box. 상자에 치즈가 조금 있다.

TIPS some은 '조금의', '몇몇의'라는 의미로, 복수명사 앞이나 셀 수 없는 명사 앞에 올 수 있습니다.
- I have **some** water. 나는 물이 조금 있다.
- I have **some** pencils. 나는 연필들이 조금 있다.

Warm Up

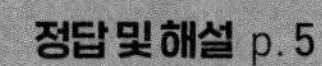
정답 및 해설 p. 5

다음 그림을 보고, 괄호 안에서 알맞은 것을 고르세요.

01 

(There is / There are) an apple in the basket.
바구니에 사과가 있다.

02 

(There is / There are) some cookies on the plate.
접시에 쿠키들이 조금 있다.

03 

(There is / There are) some water in the glass.
유리잔에 물이 조금 있다.

04 

(There is / There are) some children in the park.
공원에 아이들이 몇 명 있다.

05 

(There is / There are) pencils on the desk.
책상 위에 연필들이 있다.

06 

(There is / There are) some cars in the parking lot.
주차장에 자동차들이 조금 있다.

07 

(There is / There are) a cat on the sofa.
소파 위에 고양이가 있다.

08 

(There is / There are) some milk in the bottle.
병에 우유가 조금 있다.

Words

- □ **basket** 바구니
- □ **plate** 접시
- □ **glass** 유리잔
- □ **parking lot** 주차장
- □ **bottle** 병

1 다음 괄호 안에서 알맞은 것을 고르세요.

01 There (is / are) a computer on the desk.
책상 위에 컴퓨터가 있다.

02 There (is / are) children at the bus stop.
버스 정류장에 아이들이 있다.

03 There (is / are) some students in the classroom.
교실에 학생들이 몇 명 있다.

04 There (is / are) some water in the bottle.
병에 물이 조금 있다.

05 There (is / are) a desk in the room.
방에 책상이 있다.

06 There (is / are) cows on the farm.
농장에 소들이 있다.

07 There (is / are) a plate on the table.
식탁 위에 접시가 있다.

08 There (is / are) some toys in the box.
상자에 장난감들이 조금 있다.

09 There (is / are) a man in the kitchen.
부엌에 남자가 있다.

10 There (is / are) some roses in the vase.
꽃병에 장미들이 조금 있다.

Words

□ **bus stop** 버스 정류장 □ **classroom** 교실 □ **cow** 소 □ **farm** 농장 □ **plate** 접시
□ **toy** 장난감 □ **kitchen** 부엌 □ **vase** 꽃병

정답 및 해설 p. 5

2 다음 괄호 안에서 알맞은 것을 고르세요.

01 There are (a tiger / tigers) in the zoo.
동물원에 호랑이들이 있다.

02 There are (an orange / some oranges) in the basket.
바구니에 오렌지들이 조금 있다.

03 There is (a bed / some beds) in the room.
방에 침대가 있다.

04 There is (a milk / some milk) in the cup.
컵에 우유가 조금 있다.

05 There are (a picture / pictures) on the wall.
벽에 그림들이 있다.

06 There is (a box / boxes) on the floor.
바닥에 상자가 있다.

07 There is (some salt / some salts) in the bowl.
그릇에 소금이 조금 있다.

08 There are (a tree / trees) in the park.
공원에 나무들이 있다.

09 There is (an apple / apples) on the plate.
접시 위에 사과가 있다.

10 There are (a book / books) on the desk.
책상 위에 책들이 있다.

Words

□ **zoo** 동물원 □ **picture** 그림 □ **wall** 벽 □ **floor** 바닥 □ **bowl** 그릇
□ **park** 공원 □ **plate** 접시

1 다음 빈칸에 There is와 There are 중 알맞은 것을 쓰세요.

01 There are apples in the basket.
바구니에 사과들이 있다.

02 ______ ______ some toys in the box.
상자에 장난감들이 조금 있다.

03 ______ ______ flowers in her garden.
그녀의 정원에 꽃들이 있다.

04 ______ ______ a chair in the room.
방에 의자가 있다.

05 ______ ______ computers in the classroom.
교실에 컴퓨터들이 있다.

06 ______ ______ a horse on the farm.
농장에 말이 있다.

07 ______ ______ birds on the roof.
지붕 위에 새들이 있다.

08 ______ ______ some girls at the bus stop.
버스 정류장에 소녀들이 몇 명 있다.

09 ______ ______ some sugar on this bread.
이 빵 위에 설탕이 조금 있다.

10 ______ ______ some students in the playground.
운동장에 학생들이 몇 명 있다.

Words
- □ **basket** 바구니 □ **flower** 꽃 □ **garden** 정원 □ **horse** 말 □ **farm** 농장
- □ **roof** 지붕 □ **sugar** 설탕 □ **playground** 운동장

2 다음 빈칸에 There is와 There are 중 알맞은 것을 쓰세요.

01 ___There___ ___are___ some children in the playground.
놀이터에 아이들이 몇 명 있다.

02 ________ ________ an eraser in my pencil case.
내 필통에 지우개가 있다.

03 ________ ________ a notebook on the desk.
책상 위에 공책이 있다.

04 ________ ________ plates on the table.
식탁 위에 접시들이 있다.

05 ________ ________ stars in the sky.
하늘에 별들이 있다.

06 ________ ________ a dog in her room.
그녀의 방에 개가 있다.

07 ________ ________ singers on stage.
무대 위에 가수들이 있다.

08 ________ ________ a river in our town.
우리 마을에 강이 있다.

09 ________ ________ some milk in the glass.
유리잔에 우유가 조금 있다.

10 ________ ________ a big library in the city.
그 도시에 커다란 도서관이 있다.

Words

- □ **playground** 놀이터
- □ **pencil case** 필통
- □ **notebook** 공책
- □ **star** 별
- □ **singer** 가수
- □ **stage** 무대
- □ **river** 강
- □ **town** 마을
- □ **library** 도서관
- □ **city** 도시

There is / There are 부정문과 의문문

1 There is / There are의 부정문

'(…에) ~이 없다'라는 의미를 나타내려면 be동사(is, are) 뒤에 not을 붙입니다.

There isn't[is not]+ a/an 단수명사(~이 없다)	**There isn't a pencil** on the desk. 책상 위에 연필이 없다.
There aren't[are not]+ (any) 복수명사 (~이 없다)	**There aren't any stars** in the sky. 하늘에는 별들이 하나도 없다.
There isn't[is not]+ (any) 셀 수 없는 명사 (~이 없다)	**There isn't any water** in the bottle. 병에 물이 조금도 없다.

TIPS
- any는 부정문에 사용하며 any 다음에 복수명사와 셀 수 없는 명사가 올 수 있습니다.
- 부정문에서 명사 앞에 any를 붙이면, 그 명사가 하나도(조금도) 없다는 의미를 만듭니다.

2 There is / There are의 의문문

'(…에) ~가 있나요?'라는 의미를 나타내려면 be동사(is, are)를 there의 앞에 쓰고, 문장의 끝에 물음표를 붙입니다.

Is there+a/an 단수명사 ~?	**Is there a pencil** on the desk? 책상 위에 연필이 있나요?
Are there+(any) 복수명사 ~?	**Are there any stars** in the sky? 하늘에 별들이 있나요?
Is there+(any) 셀 수 없는 명사 ~?	**Is there any water** in the bottle? 병에 물이 있나요?

3 대답하기

~가 있나요?	예, 있어요.	아니요, 없어요.
Is there a pencil on the desk? 책상 위에 연필이 있나요?	Yes, there is.	No, there isn't.
Are there any stars in the sky? 하늘에 별들이 있나요?	Yes, there are.	No, there aren't.

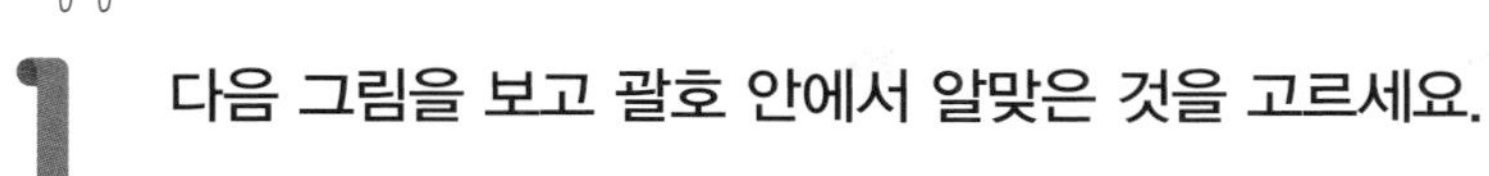

정답 및 해설 p. 5

1 다음 그림을 보고 괄호 안에서 알맞은 것을 고르세요.

01 

(There are / There aren't) any cookies on the plate.
접시에 쿠키가 하나도 없다.

02 

(There is / There isn't) a pencil on the desk.
책상 위에 연필이 있다.

03 

(There is / There isn't) any juice in the bottle.
병에 주스가 조금도 없다.

04 

(There is / There isn't) a book in the bag.
가방에 책이 없다.

05 

A: Are there any apples on the table? 식탁 위에 사과들이 있나요?
B: (Yes, there are. / Yes, there is.)

06 

A: Are there any eggs in the basket? 바구니에 계란들이 있나요?
B: (No, there isn't. / No, there aren't.)

07 

A: Is there a dog on the sofa? 소파에 개가 있나요?
B: (Yes, there is. / Yes, there are.)

08 

A: Is there any cheese on the tray? 쟁반에 치즈가 있나요?
B: (Yes, there is. / Yes, there are.)

Words
□ bottle 병 □ bag 가방 □ egg 계란 □ basket 바구니 □ sofa 소파 □ tray 쟁반

1 다음 괄호 안에서 알맞은 것을 고르세요.

01 There (isn't / aren't) any students in the library.
도서관에 학생들이 하나도 없다.

02 There (isn't / aren't) any eggs in the basket.
바구니에 계란들이 하나도 없다.

03 There (isn't / aren't) a computer on my desk.
내 책상에 컴퓨터가 없다.

04 There (isn't / aren't) any children in the park.
공원에 아이들이 하나도 없다.

05 There (isn't / aren't) any juice in the bottle.
병에 주스가 조금도 없다.

06 There (isn't / aren't) any sugar in the coffee.
커피에 설탕이 조금도 없다.

07 There (isn't / aren't) any flowers in the garden.
정원에 꽃들이 하나도 없다.

08 There (isn't / aren't) a spoon on the table.
식탁 위에 숟가락이 없다.

09 There (isn't / aren't) an eraser in the pencil case.
필통에 지우개가 없다.

10 There (isn't / aren't) any bread on the plate.
접시에 빵이 조금도 없다.

Words

□ **library** 도서관 □ **children** 아이들 □ **juice** 주스 □ **coffee** 커피 □ **garden** 정원
□ **spoon** 숟가락 □ **pencil case** 필통 □ **bread** 빵

정답 및 해설 p. 5

2 다음 괄호 안에서 알맞은 것을 고르세요.

01 (Is / Are) there a picture on the wall?
벽에 그림이 있나요?

02 (Is / Are) there any children on the playground?
놀이터에 아이들이 있나요?

03 (Is / Are) there any books on the desk?
책상 위에 책들이 있나요?

04 (Is / Are) there a shopping mall in your town?
당신의 마을에 쇼핑몰이 있나요?

05 (Is / Are) there any flowers in the garden?
정원에 꽃들이 있나요?

06 (Is / Are) there a robot in the box?
상자에 로봇이 있나요?

07 (Is / Are) there any tigers in the zoo?
동물원에 호랑이들이 있나요?

08 (Is / Are) there any sugar in the coffee?
커피에 설탕이 있나요?

09 (Is / Are) there any plates on the table?
식탁 위에 접시들이 있나요?

10 (Is / Are) there a swimming pool in the hotel?
호텔에 수영장이 있나요?

Words

- □ **picture** 그림 □ **wall** 벽 □ **playground** 놀이터 □ **shopping mall** 쇼핑몰
- □ **town** 마을 □ **robot** 로봇 □ **swimming pool** 수영장 □ **hotel** 호텔

1 다음 문장을 지시대로 바꿔 쓸 때, 빈칸에 알맞은 말을 쓰세요.

01 There are many flowers in the vase. 꽃병에 많은 꽃들이 있다.

➡ 부정문: ___There___ ___aren't___ many flowers in the vase.

02 There is a library in this town. 이 마을에 도서관이 있다.

➡ 의문문: __________ __________ a library in this town?

03 There are pictures on the wall. 벽에 그림들이 있다.

➡ 부정문: __________ __________ any pictures on the wall.

04 There are plates on the table. 식탁 위에 접시들이 있다.

➡ 의문문: __________ __________ any plates on the table?

05 There is some cheese on the tray. 쟁반 위에 치즈가 조금 있다.

➡ 부정문: __________ __________ any cheese on the tray.

06 There is a desk in your room. 네 방에 책상이 있다.

➡ 의문문: __________ __________ a desk in your room?

07 There is some milk in the bottle. 병에 우유가 조금 있다.

➡ 부정문: __________ __________ any milk in the bottle.

08 There are birds in the cage. 새장에 새들이 있다.

➡ 의문문: __________ __________ any birds in the cage?

09 There are chairs in the classroom. 교실에 의자들이 있다.

➡ 부정문: __________ __________ any chairs in the classroom.

10 There is a sofa in the living room. 거실에 소파가 있다.

➡ 의문문: __________ __________ a sofa in the living room?

Words

- □ **vase** 꽃병 □ **library** 도서관 □ **on the wall** 벽에 □ **tray** 쟁반 □ **bottle** 병
- □ **cage** 새장 □ **living room** 거실

2 다음 대화의 빈칸에 들어갈 알맞은 대답을 쓰세요.

01 A: Is there a zoo in your town? 당신 마을에 동물원이 있나요?
B: Yes, ___there___ ___is___.

02 A: Are there any pigs on his farm? 그의 농장에 돼지들이 있나요?
B: No, ________ ________.

03 A: Are there any sofas in the living room? 거실에 소파들이 있나요?
B: Yes, ________ ________.

04 A: Is there any water in the bottle? 병에 물이 있나요?
B: No, ________ ________.

05 A: Are there seven colors in the rainbow? 무지개에 일곱 가지 색이 있나요?
B: Yes, ________ ________.

06 A: Is there a pencil on the desk? 책상 위에 연필이 있나요?
B: No, ________ ________.

07 A: Are there any cars on the road? 도로에 자동차들이 있나요?
B: Yes, ________ ________.

08 A: Is there a lamp in the room? 방에 등이 있나요?
B: No, ________ ________.

09 A: Is there a department store in this city? 이 도시에 백화점이 있나요?
B: Yes, ________ ________.

10 A: Are there any potatoes in the basket? 바구니에 감자들이 있나요?
B: No, ________ ________.

Words
□ **farm** 농장 □ **rainbow** 무지개 □ **road** 도로 □ **lamp** 램프, 등
□ **department store** 백화점 □ **city** 도시 □ **potato** 감자

1 다음 우리말과 일치하도록 빈칸에 알맞은 말을 보기에서 골라 쓰세요.

is	are	isn't	aren't

01 There ___are___ some apples in the basket.
바구니에 사과들이 조금 있다.

02 There __________ an egg in the basket.
바구니에 계란이 있다.

03 There __________ frogs in the pond.
연못에 개구리들이 있다.

04 There __________ any flowers in the vase.
꽃병에 꽃들이 하나도 없다.

05 There __________ a red car on the road.
도로에 빨간색 자동차가 있다.

06 There __________ some milk in the glass.
유리잔에 우유가 조금 있다.

07 There __________ any towels in the bathroom.
화장실에 수건들이 하나도 없다.

08 There __________ any books on the desk.
책상 위에 책들이 하나도 없다.

09 There __________ any money in the pocket.
주머니에 돈이 조금도 없다.

10 There __________ a boy in the room.
방에 소년이 있다.

Words

□ **frog** 개구리 □ **pond** 연못 □ **vase** 꽃병 □ **glass** 유리잔 □ **towel** 수건
□ **bathroom** 화장실 □ **pocket** 주머니

2 다음 우리말과 일치하도록 주어진 단어를 이용하여 문장을 완성하세요.

01 접시에 쿠키들이 있다. (cookies / are)

➡ There ___are cookies___ on the plate.

02 동물원에 펭귄들이 하나도 없다. (aren't / any / penguins)

➡ There ______________ in the zoo.

03 방 안에 소년들이 있나요? (Are / boys / there / any)

➡ ______________ in the room?

04 교실에 의자들이 조금 있다. (some / chairs / are)

➡ There ______________ in the classroom.

05 그 마을에 도서관이 있나요? (there / Is / a library)

➡ ______________ in the town?

06 접시 위에 햄버거가 있다. (a hamburger / is)

➡ There ______________ on the plate.

07 식탁 위에 빵이 조금 있다. (bread / some / is)

➡ There ______________ on the table.

08 무대 위에 가수들이 있나요? (singers / Are / any / there)

➡ ______________ on stage?

09 당신의 방에 침대가 있나요? (a bed / there / Is)

➡ ______________ in your room?

10 냉장고에 물이 조금도 없다. (any / isn't / water)

➡ There ______________ in the refrigerator.

Words

□ **penguin** 펭귄 □ **classroom** 교실 □ **library** 도서관 □ **hamburger** 햄버거
□ **singer** 가수 □ **stage** 무대 □ **refrigerator** 냉장고

[1-2] 다음 중 빈칸에 들어갈 알맞은 것을 고르세요.

1

There is ________ in my room.

① chairs ② some toys ③ toys
④ a computer ⑤ some books

2

There are some ________ in the basket.

① apples ② an apple ③ salts
④ a milk ⑤ a book

3 다음 중 밑줄 친 부분이 잘못된 것을 고르세요.

① There is some milk in the glass.
② There is some eggs in the basket.
③ There is a picture on the wall.
④ There is a car in the parking lot.
⑤ There is a plate on the table.

4 다음 중 대화의 빈칸에 들어갈 알맞은 대답을 고르세요.

A: Is there a zoo in your town?
B: No, ______________.

① there isn't ② there is ③ there are
④ there aren't ⑤ it isn't

1.
[there is+단수명사/셀 수 없는 명사] 형태입니다.

2.
some 다음에는 복수명사와 셀 수 없는 명사가 올 수 있습니다. [There are+복수명사 ~.] 형태입니다.

3.
There is 다음에는 복수명사가 올 수 없습니다.
parking lot 주차장

5 다음 중 빈칸에 공통으로 들어갈 알맞은 것을 고르세요.

- There ________ girls on stage.
- There ________ some books on the shelf.

① am ② is ③ are
④ isn't ⑤ be

6 다음 우리말과 일치하도록 빈칸에 알맞은 말을 쓰세요.

(1) 바구니 안에 오렌지들이 있나요?

→ ________ ________ any oranges in the basket?

(2) 하늘에 무지개가 있다.

→ ________ ________ a rainbow in the sky.

7 다음 문장을 any를 넣어 부정문으로 바꿔 쓰세요.

There are trees in the park.

→ ________________________________

8 다음 문장을 any를 넣어 의문문으로 바꿔 쓰세요.

There are trees in the garden.

→ ________________________________

5.
stage 무대
shelf 선반

6.
[Are there+복수명사 ~?] /
[There is+단수명사 ~.] 형태
입니다.

7.
any는 명사 앞에 옵니다.

다음 단어의 뜻을 쓰고, 단어를 더 써보세요.

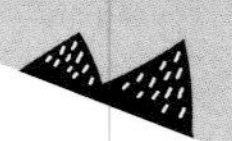

01	basket	바구니	basket	02	bathroom		
03	bowl			04	cage		
05	city			06	classroom		
07	farm			08	floor		
09	garden			10	glass		
11	hamburger			12	hotel		
13	lamp			14	library		
15	notebook			16	picture		
17	playground			18	pocket		
19	pond			20	rainbow		
21	river			22	road		
23	robot			24	roof		
25	stage			26	star		
27	town			28	tray		
29	vase			30	wall		

CHAPTER 4
현재진행형

UNIT 01 현재진행형의 의미와 형태
UNIT 02 현재진행형의 부정문과 의문문

현재진행형의 의미와 형태

1 현재진행형의 의미와 형태

의미	'~하는 중이다' 또는 '~하고 있다'라는 의미로 현재 즉, 말하고 있는 순간에 진행 중인 일을 표현할 때 사용합니다.
형태	[주어+be동사(am, is, are)+동사원형+ing] She is **reading** a book. 그녀는 책을 읽고 있다. I am **playing** the guitar. 나는 기타를 치고 있다. They are **watching** TV. 그들은 TV를 보고 있다.

2 동사의 진행형 만들기

대부분의 동사	동사원형+ing	sing → singing eat → eating study → studying play → playing
e로 끝나는 동사	e를 빼고+ing	move → moving live → living dance → dancing
[자음+모음+자음]으로 이루어진 동사	마지막 자음을 한 번 더 쓰고+ing	cut → cutting run → running hit → hitting

TIPS [자음+자음+모음+자음]으로 이루어진 동사도 마지막 자음을 한 번 더 쓰고 ing를 붙입니다.
- stop → stopping
- swim → swimming

Warm Up

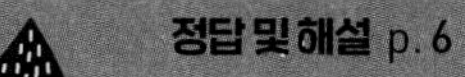
정답 및 해설 p. 6

1 다음 규칙에 해당하는 동사를 보기에서 골라 -ing 형태로 바꾸세요.

live 살다	do 하다	dance 춤추다	change 바꾸다
sit 앉다	study 공부하다	run 달리다	hit 치다
cut 자르다	eat 먹다	play 놀다	move 움직이다

01 대부분의 동사 ➡ 동사원형 + ing

do ➡ doing　　　　______ ➡ ______

______ ➡ ______　　　　______ ➡ ______

02 e로 끝나는 동사 ➡ e를 빼고 + ing

______ ➡ ______　　　　______ ➡ ______

______ ➡ ______　　　　______ ➡ ______

03 [자음+모음+자음]으로 이루어진 동사 ➡ 마지막 자음을 한 번 더 쓰고 + ing

______ ➡ ______　　　　______ ➡ ______

______ ➡ ______　　　　______ ➡ ______

Words

□ **live** 살다　□ **do** 하다　□ **dance** 춤추다　□ **change** 바꾸다　□ **sit** 앉다
□ **study** 공부하다　□ **hit** 치다　□ **cut** 자르다　□ **move** 움직이다

1 다음 동사의 -ing 형태를 쓰세요.

01 watch 보다 → watching

02 say 말하다 → ________

03 live 살다 → ________

04 get 얻다 → ________

05 grow 자라다 → ________

06 give 주다 → ________

07 run 달리다 → ________

08 write 쓰다 → ________

09 stay 머무르다 → ________

10 do 하다 → ________

11 come 오다 → ________

12 sing 노래하다 → ________

13 walk 걷다 → ________

14 study 공부하다 → ________

15 swim 수영하다 → ________

16 hit 치다 → ________

17 drink 마시다 → ________

18 make 만들다 → ________

19 read 읽다 → ________

20 ask 묻다 → ________

21 eat 먹다 → ________

22 sit 앉다 → ________

23 use 사용하다 → ________

24 dance 춤추다 → ________

Words

□ **watch** 보다 □ **say** 말하다 □ **get** 얻다 □ **grow** 자라다 □ **stay** 머무르다
□ **ask** 묻다 □ **sit** 앉다 □ **use** 사용하다 □ **dance** 춤추다

정답 및 해설 p. 6

2 다음 괄호 안에서 알맞은 것을 고르세요.

01 I (am / are / is) (watching / watchhing) TV.
나는 TV를 보고 있다.

02 She (am / are / is) (readding / reading) a book.
그녀는 책을 읽고 있다.

03 They (am / are / is) (siting / sitting) on the sofa.
그들은 소파 위에 앉아 있다.

04 He (am / are / is) (singing / singging) now.
그는 지금 노래를 부르고 있다.

05 We (am / are / is) (eating / eatting) lunch.
우리는 점심을 먹고 있다.

06 Kevin (am / are / is) (studying / studing) English.
캐빈은 영어를 공부하고 있다.

07 My sister (am / are / is) (runing / running) in the playground.
내 여동생은 놀이터에서 달리고 있다.

08 The boys (am / are / is) (swiming / swimming) in the river.
그 소년들은 강에서 수영하고 있다.

09 My mom (am / are / is) (makeing / making) a cake.
내 엄마는 케이크를 만들고 있다.

10 My friend (am / are / is) (drinking / drinkking) water.
내 친구는 물을 마시고 있다.

Step Up

1 다음 주어진 동사를 이용해서 진행형 문장을 완성하세요.

01 I ___am___ ___cleaning___ my room. (clean)
나는 내 방을 청소하고 있다.

02 We __________ __________ a movie. (watch)
우리는 영화를 보고 있다.

03 She __________ __________ her homework. (do)
그녀는 숙제를 하고 있다.

04 They __________ __________ basketball in the gym. (play)
그들은 체육관에서 농구를 하고 있다.

05 The girls __________ __________ on stage. (dance)
그 소녀들이 무대에서 춤을 추고 있다.

06 He __________ __________ a letter. (write)
그는 편지를 쓰고 있다.

07 They __________ __________ the desks. (move)
그들은 그 책상들을 옮기고 있다.

08 I __________ __________ at my grandparents' home now. (stay)
나는 지금 조부모님 댁에 머물고 있다.

09 He __________ __________ a bike. (ride)
그는 자전거를 타고 있다.

10 A man __________ __________ down the street. (walk)
한 남자가 거리를 걸어 내려가고 있다.

Words

□ **clean** 청소하다 □ **movie** 영화 □ **do one's homework** 숙제를 하다 □ **basketball** 농구
□ **letter** 편지 □ **move** 옮기다 □ **ride a bike** 자전거를 타다 □ **street** 거리

정답 및 해설 p. 6

2 다음 우리말과 일치하도록 보기의 단어를 이용하여 현재진행형 문장을 완성하세요.

drink 마시다	make 만들다	play 놀다, 하다	buy 사다
sit 앉다	study 공부하다	swim 수영하다	ask 묻다

01 The man ___is___ ___making___ ice cream.
그 남자는 아이스크림을 만들고 있다.

02 He __________ __________ in the pool.
그는 수영장에서 수영을 하고 있다.

03 Kevin __________ __________ history.
케빈은 역사를 공부하고 있다.

04 The baby __________ __________ milk.
그 아기는 우유를 마시고 있다.

05 Those boys __________ __________ baseball.
저 소년들은 야구를 하고 있다.

06 They __________ __________ some meat.
그들은 고기를 조금 사고 있다.

07 The cats __________ __________ on the sofa.
그 고양이들은 소파 위에 앉아 있다.

08 She __________ __________ a question.
그녀는 질문을 하고 있다.

Words

- □ **ice cream** 아이스크림 □ **pool** 수영장 □ **history** 역사 □ **milk** 우유
- □ **play baseball** 야구를 하다 □ **meat** 고기 □ **question** 질문

현재진행형의 부정문과 의문문

1 현재진행형의 부정문

의미	'~하고 있지 않다', '~하는 중이 아니다'라는 의미입니다.
형태	be동사(am, are, is) 뒤에 not을 붙인 다음 진행형을 씁니다. 주어 + am not / aren't / isn't + -ing ~.

- I am listening to music. → I **am not listening** to music. 나는 음악을 듣고 있지 않다.
- She is singing a song. → She **isn't singing** a song. 그녀는 노래를 부르고 있지 않다.

TIPS isn't는 is not으로 aren't는 are not으로 쓸 수 있습니다.

2 현재진행형의 의문문

의미	'~하고 있나요?', '~하는 중인가요?'라는 의미입니다.
형태	be동사(am, are, is)를 주어 앞에 보내고 주어 다음에 진행형을 쓰고, 문장 끝에 물음표를 붙입니다. Am / Are / Is + 주어 + -ing ~?

- She is reading a book. → **Is** she **reading** a book? 그녀는 책을 읽고 있나요?
- They are singing a song. → **Are** they **singing** a song? 그들은 노래를 부르고 있나요?

3 현재진행형의 의문문 대답

질문	긍정	부정
Is she[he] reading a book?	Yes, she[he] is.	No, she[he] isn't.

TIPS 명사 주어로 물어보더라도 대답은 인칭대명사 주어로 바꿔서 합니다.
- Are **your friends** singing a song? 당신 친구들은 노래를 부르고 있나요?
- Yes, **they** are. / No, **they** aren't.

Warm Up

정답 및 해설 p. 7

1 다음 문장을 부정문으로 만들 때, 빈칸에 알맞은 말을 쓰세요.

01 I am reading a book. 나는 책을 읽고 있다.

➡ I ___am not___ reading a book.

02 He is running. 그는 달리고 있다.

➡ He ________ running.

03 They are dancing. 그들은 춤추고 있다.

➡ They ________ dancing.

04 Sam is washing his hands. 샘은 손을 씻고 있다.

➡ Sam ________ washing his hands.

05 She is making a kite. 그녀는 연을 만들고 있다.

➡ She ________ making a kite.

2 다음 문장을 의문문으로 만들 때, 빈칸에 알맞은 말을 쓰세요.

01 You are reading a book. 너는 책을 읽고 있다.

➡ ___Are you___ reading a book?

02 He is swimming. 그는 수영하고 있다.

➡ ________ swimming?

03 They are crying. 그들은 울고 있다.

➡ ________ crying?

04 Sam is playing table tennis. 샘은 탁구를 치고 있다.

➡ ________ playing table tennis?

05 She is cooking. 그녀는 요리를 하고 있다.

➡ ________ cooking?

Words

□ **dance** 춤추다 □ **wash one's hands** 손을 씻다 □ **kite** 연 □ **swim** 수영하다
□ **cry** 울다 □ **table tennis** 탁구 □ **cook** 요리하다

1 다음 괄호 안에서 알맞은 것을 고르세요.

01 I (am not / not am) reading a book.
나는 책을 읽고 있지 않다.

02 She (isn't cleaning / cleaning isn't) her room.
그녀는 그녀의 방을 청소하고 있지 않다.

03 Are they (play / playing) volleyball?
그들은 배구를 하고 있나요?

04 (Are you / Do you) doing your homework?
당신은 숙제를 하고 있나요?

05 He (isn't writing / writing isn't) a letter.
그는 편지를 쓰고 있지 않다.

06 They (isn't watching / aren't watching) TV.
그들은 TV를 보고 있지 않다.

07 (Is your friends / Are your friends) dancing now?
당신 친구들은 지금 춤을 추고 있나요?

08 She (isn't eat / isn't eating) lunch.
그녀는 점심을 먹고 있지 않다.

09 David (isn't listen / isn't listening) to the radio.
데이비드는 라디오를 듣고 있지 않다.

10 Are (the children singing / singing the children) a song?
그 아이들은 노래를 부르고 있나요?

Words

□ **clean** 청소하다 □ **volleyball** 배구 □ **homework** 숙제 □ **letter** 편지
□ **listen to** ~을 듣다 □ **children** 아이들 □ **song** 노래

2 다음 우리말과 일치하도록 주어진 단어를 이용하여 현재진행형 문장을 완성하세요.

01 He ___isn't cooking___. (cook)
그는 요리를 하고 있지 않다.

02 The girl ______________. (dance)
그 소녀는 춤을 추고 있지 않다.

03 We ______________ dinner. (eat)
우리는 저녁을 먹고 있지 않다.

04 She ______________ now. (sleep)
그녀는 지금 잠을 자고 있지 않다.

05 Sam ______________ cookies. (bake)
샘은 과자들을 굽고 있지 않다.

06 Tom ______________ a bike. (ride)
톰은 자전거를 타고 있지 않다.

07 He ______________ a box. (move)
그는 상자를 옮기고 있지 않다.

08 __________ you __________ water? (drink)
당신은 물을 마시고 있나요?

09 __________ they __________ home? (go)
그들은 집에 가고 있나요?

10 __________ your mom __________? (drive)
당신 엄마가 운전하고 있나요?

Words

- □ **cook** 요리하다 □ **eat** 먹다 □ **sleep** 자다 □ **bake** 굽다 □ **ride a bike** 자전거를 타다
- □ **move** 옮기다 □ **drive** 운전하다

Step Up

1 다음 문장을 주어진 지시대로 바꿔 쓰세요.

01 I am listening to the radio. 나는 라디오를 듣고 있다.

→ 부정문: I am not listening to the radio.

02 They are living in Seoul. 그들은 서울에 살고 있다.

→ 의문문: ______________________________

03 The man is coming back. 그 남자는 돌아오고 있다.

→ 부정문: ______________________________

04 He is staying at the hotel. 그는 호텔에 머무르고 있다.

→ 의문문: ______________________________

05 We are playing tennis. 우리는 테니스를 치고 있다.

→ 부정문: ______________________________

06 You are learning Chinese. 너는 중국어를 배우고 있다.

→ 의문문: ______________________________

07 Jane is watching a movie. 제인은 영화를 보고 있다.

→ 부정문: ______________________________

08 Your sister is using the computer. 네 여동생은 그 컴퓨터를 사용하고 있다.

→ 의문문: ______________________________

09 Her dad is driving a car. 그녀의 아빠는 자동차를 운전하고 있다.

→ 부정문: ______________________________

10 Mike is meeting her. 마이크는 그녀를 만나고 있다.

→ 의문문: ______________________________

Words

- □ radio 라디오
- □ live in ~에 살다
- □ come back 돌아오다
- □ stay 머무르다
- □ play tennis 테니스를 치다
- □ learn 배우다
- □ Chinese 중국어
- □ use 사용하다

2 다음 대화의 빈칸에 들어갈 알맞은 대답을 쓰세요.

01 A: Are you watching TV? 당신은 TV를 보고 있나요?
B: Yes, ___I___ ___am___.

02 A: Is he doing his homework? 그는 숙제를 하고 있나요?
B: No, ________ ________.

03 A: Are they playing football? 그들은 (미식)축구를 하고 있나요?
B: Yes, ________ ________.

04 A: Are the girls running? 그 소녀들은 달리고 있나요?
B: No, ________ ________.

05 A: Is she dancing? 그녀는 춤을 추고 있나요?
B: Yes, ________ ________.

06 A: Is your daughter having lunch? 당신의 딸은 점심식사를 하고 있나요?
B: No, ________ ________.

07 A: Is he swimming in the pool? 그는 수영장에서 수영하고 있나요?
B: Yes, ________ ________.

08 A: Is your dad washing the car? 당신의 아빠는 세차하고 있나요?
B: No, ________ ________.

09 A: Are the students taking a test? 그 학생들이 시험을 보고 있나요?
B: Yes, ________ ________.

10 A: Is your sister walking the dog? 당신의 여동생이 그 개를 산책시키고 있나요?
B: No, ________ ________.

Words

- □ **do one's homework** 숙제를 하다
- □ **football** (미식)축구
- □ **daughter** 딸
- □ **pool** 수영장
- □ **take a test** 시험을 보다
- □ **walk** 산책시키다

1 다음 문장을 현재진행형으로 바꿔 쓰세요.

01 He studies in the room. 그는 방에서 공부한다.

➡ ___He is studying___ in the room.

02 The cat catches a mouse. 그 고양이는 쥐를 잡는다.

➡ ______________________ a mouse.

03 They walk to school. 그들은 학교에 걸어간다.

➡ ______________________ to school.

04 She pushes the button. 그녀는 그 버튼을 누른다.

➡ ______________________ the button.

05 We clean the street. 우리는 그 거리를 청소한다.

➡ ______________________ the street.

06 My mom says something. 나의 엄마는 무언가 말한다.

➡ ______________________ something.

07 The girl asks a question. 그 소녀는 질문을 한다.

➡ ______________________ a question.

08 Sam doesn't make sandwiches. 샘은 샌드위치를 만들지 않는다.

➡ ______________________ sandwiches.

09 They don't eat breakfast. 그들은 아침식사를 먹지 않는다.

➡ ______________________ breakfast.

10 Susie doesn't use my computer. 수지는 나의 컴퓨터를 사용하지 않는다.

➡ ______________________ my computer.

Words

□ **in the room** 방에(서) □ **catch** 잡다 □ **mouse** 쥐 □ **push** 밀다, 누르다 □ **button** 버튼
□ **street** 거리 □ **something** 무언가 □ **ask** 묻다 □ **sandwich** 샌드위치

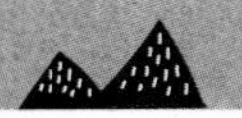

2 다음 우리말과 일치하도록 밑줄 친 부분을 바르게 고쳐 쓰세요.

01 We are go to the beach. → going
우리는 해변으로 가고 있다.

02 She is visit China. → ________
그녀는 중국을 방문 중이다.

03 He does speaking to the students. → ________
그는 그 학생들에게 연설 중이다.

04 My dad doesn't cleaning the room. → ________
내 아빠는 그 방을 청소하고 있지 않다.

05 Ted is look at the traffic sign. → ________
테드가 교통 표지판을 보고 있다.

06 My mom are buying some vegetables. → ________
내 엄마가 야채를 조금 사고 있다.

07 The boy isn't sleep on the sofa. → ________
그 소년은 소파 위에서 자고 있지 않다.

08 A: Are you use my pencil? → ________
당신은 내 연필을 쓰고 있나요?
B: Yes, I am. 예, 그래요.

09 A: Is your uncle reading a book? 당신의 삼촌은 책을 읽고 있나요?
B: No, she isn't. 아니요, 그렇지 않아요. → ________

10 A: Are the boys making a snowman? 그 소년들이 눈사람을 만들고 있나요?
B: Yes, they do. 예, 그래요. → ________

Words
- beach 해변
- visit 방문하다
- speak 연설하다
- traffic 교통
- sign 표지판
- vegetable 야채
- make a snowman 눈사람을 만들다

1 다음 중 동사의 -ing 형태가 바르지 않은 것을 고르세요.

① come – comeing ② watch – watching
③ go – going ④ write – writing
⑤ listen – listening

2 다음 중 문장을 현재진행형으로 바르게 바꾼 것을 고르세요.

The dog runs fast.

① The dog running fast.
② The dog is runing fast.
③ The dog is running fast.
④ The dog are runing fast.
⑤ The dog are running fast.

3 다음 중 대화의 빈칸에 들어갈 알맞은 대답을 고르세요.

A: Are you listening to music?
B: ______________

① Yes, you are. ② Yes, I do. ③ No, I am.
④ No, I'm not. ⑤ Yes, we do.

4 다음 중 밑줄 친 부분이 잘못된 것을 고르세요.

① I'm reading a book.
② Sam is taking a shower.
③ Is she sitting on the sofa?
④ Are they walking to school?
⑤ Does your brother singing on stage?

1.
e로 끝나는 단어는 e를 없애고 ing를 붙입니다.

2.
[자음+모음+자음]으로 끝나는 단어는 자음을 한 번 더 쓰고 ing를 붙입니다.

4.
현재진행형 의문문은 [Be동사+주어+진행형~?] 형태입니다.

5 다음 중 빈칸에 공통으로 들어갈 알맞은 것을 고르세요.

- My friends ________ playing baseball.
- My sisters ________ cleaning the room.
- They ________ eating sandwiches.

① am ② is ③ are
④ do ⑤ does

6 다음 우리말과 일치하도록 주어진 단어를 이용하여 빈칸에 알맞은 말을 쓰세요.

그 소년은 그 공들을 치고 있다. (hit)

➡ The boy ________ ________ the balls.

7 다음 문장을 부정문으로 바꿔 쓰세요.

(1) The girl is running slowly.

➡ ____________________

(2) He is riding a horse.

➡ ____________________

8 다음 문장을 의문문으로 바꿔 쓰세요.

(1) Your brothers are cutting the tree.

➡ ____________________

(2) Ted is writing an email.

➡ ____________________

5.
주어가 복수입니다.

6.
[자음+모음+자음]으로 끝나는 단어는 자음을 한 번 더 쓰고 ing를 붙입니다.
*hit의 진행형은 hitting입니다.

7.
ride (탈것에) 타다
horse 말

다음 단어의 뜻을 쓰고, 단어를 더 써보세요.

01	bake	굽다	bake	02	beach		
03	button			04	catch		
05	change			06	children		
07	cut			08	dance		
09	daughter			10	grow		
11	history			12	kite		
13	letter			14	meat		
15	mouse			16	push		
17	question			18	sign		
19	sleep			20	snowman		
21	something			22	speak		
23	stay			24	street		
25	study			26	traffic		
27	use			28	vegetable		
29	volleyball			30	walk		

CHAPTER 5
형용사와 부사

형용사

1 형용사의 의미와 쓰임

1 형용사란 사람의 기분 · 성격 · 외모 또는 사물의 크기 · 모양 · 색 · 수량 · 특징 등을 나타내는 말입니다.

2 형용사의 쓰임과 위치

be동사+형용사 (주어를 보충 설명합니다.)	The book is interesting. 그 책은 재미있다.
be동사+관사+**형용사**+명사 a, an, the (명사 앞에 와서 명사를 꾸며줍니다.)	It is an interesting book. 그것은 재미있는 책이다.
소유격+**형용사**+명사 ~의 (소유격과 함께 명사를 꾸며줍니다.)	I like your yellow shirt. 나는 너의 노란 셔츠가 좋다.

TIPS 소유격이 올 경우에는 소유격 앞에 관사(a, an, the)를 쓰지 않습니다.
- I like ~~a~~ your yellow shirt.

2 형용사 many와 much의 의미와 쓰임

many와 much는 '많은'이란 의미로 명사 앞에 오지만 쓰임이 다르므로 주의해야 합니다.

many (많은)	many+셀 수 있는 명사 복수형
	I don't have **many** friends. 나는 친구들이 많지 않다. There are **many** students in the gym. 체육관에 많은 학생들이 있다.
much (많은)	much+셀 수 없는 명사
	I don't have **much** money. 나는 많은 돈이 없다. How **much** coffee do you drink? 당신은 얼마나 많은 커피를 마시나요?

TIPS (1) 셀 수 있는 명사의 복수형에는 명사 끝에 (e)s를 붙입니다.
(2) 셀 수 없는 명사에는 water, coffee, milk, salt, sugar, cheese, time, money, bread, homework 등이 있습니다.
(3) many나 much는 a lot of (많은)로 바꿔 쓸 수 있습니다.
- **many(= a lot of) oranges** 많은 오렌지들 / **much(= a lot of) money** 많은 돈

(4) much는 주로 부정문과 무엇의 양을 물을 때 how 뒤에 쓰입니다.

Warm Up

정답 및 해설 p. 8

1 다음 형용사의 의미를 쓰세요.

01 sad	→ 슬픈	02 low	→ ________
03 cheap	→ ________	04 expensive	→ ________
05 easy	→ ________	06 difficult	→ ________
07 kind	→ ________	08 thirsty	→ ________
09 interesting	→ ________	10 soft	→ ________
11 hot	→ ________	12 cold	→ ________
13 fast	→ ________	14 smart	→ ________
15 boring	→ ________	16 delicious	→ ________
17 safe	→ ________	18 pretty	→ ________
19 clean	→ ________	20 wrong	→ ________
21 dangerous	→ ________	22 diligent	→ ________
23 angry	→ ________	24 dirty	→ ________

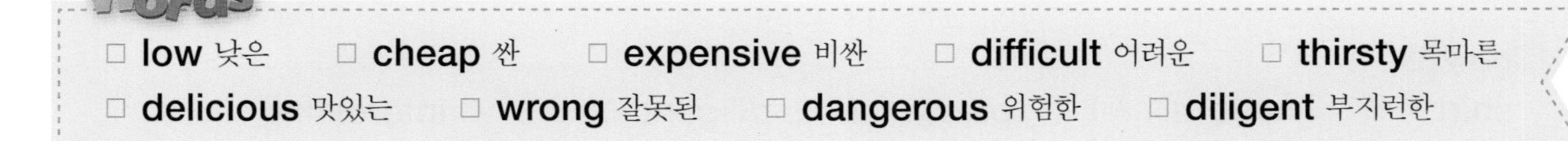

Words

□ **low** 낮은 □ **cheap** 싼 □ **expensive** 비싼 □ **difficult** 어려운 □ **thirsty** 목마른
□ **delicious** 맛있는 □ **wrong** 잘못된 □ **dangerous** 위험한 □ **diligent** 부지런한

1 다음 주어진 형용사가 들어갈 위치에 ○표 하세요.

01 It is a ___○___ car ______ . (nice)
그것은 멋진 자동차다.

02 My friends ______ are ______ . (smart)
내 친구들은 영리하다.

03 This is ______ my ______ bike. (new)
이것이 나의 새 자전거다.

04 I like your ______ shirt ______ . (yellow)
나는 너의 노란색 셔츠가 마음에 든다.

05 I need ______ a ______ box. (small)
나는 작은 상자가 필요하다.

06 She's a ______ girl ______ . (pretty)
그녀는 예쁜 소녀다.

07 It's ______ a ______ movie. (boring)
그것은 지루한 영화다.

08 You're my ______ friend ______ . (good)
너는 나의 좋은 친구다.

09 They ______ are ______ . (diligent)
그들은 부지런하다.

10 They are ______ books ______ . (interesting)
그것들은 재미있는 책들이다.

Words
□ **shirt** 셔츠 □ **need** 필요하다 □ **pretty** 예쁜 □ **diligent** 부지런한 □ **interesting** 재미있는

2 다음 괄호 안에서 알맞은 것을 고르세요.

01 She doesn't have (many / much) money.
그녀는 많은 돈을 가지고 있지 않다.

02 I don't drink (many / much) coffee.
나는 많은 커피를 마시지 않는다.

03 I don't need (many / much) sugar.
나는 많은 설탕이 필요하지 않다.

04 There are (many / much) students in the classroom.
교실에 많은 학생들이 있다.

05 Do you drink (many / a lot of) water every day?
당신은 매일 많은 물을 마시나요?

06 How (many / much) milk do you need?
당신은 얼마나 많은 우유가 필요하나요?

07 We need (many / much) apples.
우리는 많은 사과들이 필요하다.

08 Are there (many / much) people at the station?
역에 많은 사람들이 있나요?

09 Are there (many / much) books in the library?
도서관에 많은 책들이 있나요?

10 There are (many / much) eggs in the basket.
바구니에 많은 계란들이 있다.

Words

□ **money** 돈 □ **sugar** 설탕 □ **drink** 마시다 □ **library** 도서관 □ **basket** 바구니

Step Up

1 다음 문장에서 형용사에 동그라미 하고, 그 뜻을 빈칸에 써서 문장을 완성하세요.

01 She has (long) hair.
➡ 그녀는 ___긴___ 머리카락을 가지고 있다.

02 I have a red car.
➡ 나는 ________ 자동차를 가지고 있다.

03 She has a clean towel.
➡ 그녀는 ________ 수건을 가지고 있다.

04 James is a smart student.
➡ 제임스는 ________ 학생이다.

05 We need a round table.
➡ 우리는 ________ 식탁이 필요하다.

06 We want diligent people.
➡ 우리는 ________ 사람들을 원한다.

07 This is a delicious cookie.
➡ 이것은 ________ 쿠키다.

08 She has a pretty doll.
➡ 그녀는 ________ 인형을 가지고 있다.

09 I have a soft cloth.
➡ 나는 ________ 천을 가지고 있다.

10 We don't need much salt.
➡ 우리는 ________ 소금이 필요하지 않다.

Words

□ **hair** 머리카락 □ **towel** 수건 □ **people** 사람들 □ **delicious** 맛있는 □ **cookie** 쿠키
□ **doll** 인형 □ **cloth** 천 □ **salt** 소금

정답 및 해설 p. 8

2 다음 우리말과 일치하도록 주어진 단어를 바르게 배열하여 문장을 완성하세요.

01 그는 빨간 풍선을 가지고 있다. (red / a / balloon)
➡ He has ___a red balloon___.

02 우리는 부드러운 수건이 필요하다. (a / towel / soft)
➡ We need ______________.

03 톰은 영리한 소년이다. (smart / a / boy)
➡ Tom is ______________.

04 그것은 뜨거운 물이다. (water / hot)
➡ It's ______________.

05 그것은 쉬운 질문이다. (question / an / easy)
➡ It's ______________.

06 나는 너의 검은색 셔츠를 원한다. (black / shirt / your)
➡ I want ______________.

07 이것이 내 새 컴퓨터다. (computer / my / new)
➡ This is ______________.

08 바구니에 많은 과자들이 있다. (cookies / many)
➡ There are ______________ in the basket.

09 그것은 틀린 대답이다. (wrong / a / answer)
➡ It's ______________.

10 그는 많은 커피를 마시지 않는다. (coffee / a lot of)
➡ He doesn't drink ______________.

Words
□ **balloon** 풍선 □ **hot** 뜨거운 □ **question** 질문 □ **shirt** 셔츠 □ **answer** 대답

부사

1 부사의 역할

부사는 형용사와 동사 그리고 다른 부사를 꾸며주어 문장의 내용을 풍부하게 해주는 역할을 합니다.

동사+부사 동사를 수식합니다.	He **walks** **slowly**. 그는 느리게 걷는다. 동사 ← 부사
부사+형용사 형용사를 수식합니다.	She is **very** **tall**. 그녀는 매우 키가 크다. 부사 → 형용사
부사+부사 부사를 수식합니다.	He walks **very** **slowly**. 그는 매우 느리게 걷는다. 부사 → 부사

TIPS very는 '매우', '정말'이란 뜻의 부사로 부사, 형용사를 꾸며줍니다.
The dog is very fast. 그 개는 매우 빠르다. (fast는 형용사)

2 부사의 형태

형용사+ly	slow 느린 → slowly 느리게 careful 조심스러운 → carefully 조심스럽게 loud 소리가 큰 → loudly 큰 소리로 quick 빠른 → quickly 빠르게
	His voice is **loud**. 그의 목소리는 크다. (loud 형용사) He sings **loudly**. 그는 큰 소리로 노래한다. (loudly 부사, 동사 sings 수식)
y로 끝나는 형용사는 y를 i로 바꾸고+ly	happy 행복한 → happily 행복하게 easy 쉬운 → easily 쉽게
	She is **happy**. 그녀는 행복하다. (happy 형용사) She smiles **happily**. 그녀는 행복하게 웃는다. (happily 부사, 동사 sings 수식)
형용사와 부사가 같은 형태	fast 빠른 → fast 빠르게 early 이른 → early 일찍 late 늦은 → late 늦게 high 높은 → high 높게
	The dog is **fast**. 그 개는 빠르다. (fast 형용사) The dog runs **fast**. 그 개는 빠르게 달린다. (fast 부사, 동사 runs를 수식)

TIPS • 형용사와 부사가 완전히 다른 형태: good(좋은, 잘된) → well(좋게, 잘)
He is a good singer. 그는 좋은 가수다.
He sings well. 그는 노래를 잘 부른다.

정답 및 해설 p. 8

1 다음 형용사의 부사를 쓰고, 그 부사의 뜻을 쓰세요.

01 slow → slowly ___ 느리게 ___

02 high → ________ ________

03 careful → ________ ________

04 loud → ________ ________

05 quick → ________ ________

06 happy → ________ ________

07 easy → ________ ________

08 fast → ________ ________

09 early → ________ ________

10 late → ________ ________

11 kind → ________ ________

12 quiet → ________ ________

Words

□ **slow** 느린 □ **high** 높은, 높게 □ **loud** 소리가 큰, 큰 소리로 □ **quick** 빠른
□ **early** 이른, 일찍 □ **quiet** 조용한

1 다음 문장에서 부사에는 동그라미 하고, 형용사에는 세모를 하세요.

01 She drives carefully.
그녀는 조심스럽게 운전한다.

02 The girl smiles happily.
그 소녀는 행복하게 웃는다.

03 He reads quietly.
그는 조용히 책을 읽는다.

04 He jumps high.
그는 높이 뛴다.

05 I have a fast horse.
나는 빠른 말을 가지고 있다.

06 The dog runs fast.
그 개는 빨리 달린다.

07 They get up early.
그들은 일찍 일어난다.

08 She's late for school.
그녀는 학교에 지각한다.

09 She gets up late.
그녀는 늦게 일어난다.

10 She's a smart student.
그녀는 영리한 학생이다.

□ **carefully** 조심스럽게 □ **quietly** 조용히, 조용하게 □ **horse** 말 □ **get up** 일어나다

2 다음 문장에서 부사에는 동그라미 하고, 동사에는 네모를 하세요. (be동사에는 표시하지 마세요.)

01 Jack eats slowly.
책은 느리게 먹는다.

02 They sing loudly.
그들은 큰 소리로 노래한다.

03 The water is very cold.
그 물은 매우 차갑다.

04 James gets up early.
제임스는 일찍 일어난다.

05 The flowers grow quickly.
그 꽃들은 빠르게 자란다.

06 She answers kindly.
그녀는 친절하게 대답한다.

07 Jessie runs fast.
제시는 빠르게 달린다.

08 The train moves slowly.
그 기차가 천천히 간다.

09 They live happily.
그들은 행복하게 산다.

10 I am really hungry.
나는 정말 배가 고프다.

Words

- □ **slowly** 느리게
- □ **loudly** 큰 소리로
- □ **grow** 자라다
- □ **answer** 대답하다
- □ **kindly** 친절하게
- □ **live** 살다
- □ **hungry** 배고픈

Step Up 한 단계 더 이해하기

1 다음 괄호 안에서 알맞은 것을 고르세요.

01 My dad walks (slow / slowly).
나의 아빠는 느리게 걷는다.

02 It is an (easy / easily) question.
그것은 쉬운 질문이다.

03 She smiles (happy / happily).
그녀는 행복하게 웃는다.

04 Sam runs (fast / fastly).
샘은 빠르게 달린다.

05 This is a (fresh / freshly) apple.
이것은 신선한 사과다.

06 The teacher speaks (quiet / quietly).
그 선생님은 조용하게 말한다.

07 The bird flies (high / highly).
그 새는 높게 난다.

08 My mom drives (careful / carefully).
내 엄마는 조심스럽게 운전한다.

09 She tells me a (sad / sadly) story.
그녀는 나에게 슬픈 이야기를 말한다.

10 The girl listens to (loud / loudly) music.
그 소녀는 시끄러운 음악을 듣는다.

Words

- □ **question** 질문
- □ **smile** 웃다
- □ **fresh** 신선한
- □ **quietly** 조용히, 조용하게
- □ **fly** 날다
- □ **drive** 운전하다
- □ **story** 이야기
- □ **listen to** ~을 듣다
- □ **loud** 시끄러운, 소리가 큰

정답 및 해설 p. 8

2 다음 우리말과 일치하도록 보기의 단어를 이용하여 문장을 완성하세요.

kindly 친절하게	loudly 큰 소리로	easily 쉽게	quickly 빠르게
late 늦은/늦게	easy 쉬운	really 정말로	happily 행복하게

01 She helps me ___kindly___.
그녀는 친절하게 나를 도와준다.

02 I get up __________ on Sunday.
나는 일요일에 늦게 일어난다.

03 It's an __________ question.
그것은 쉬운 질문이다.

04 The boy swims __________.
그 소년은 빠르게 수영한다.

05 She's __________ tall.
그녀는 정말로 키가 크다.

06 My family lives __________.
나의 가족은 행복하게 산다.

07 They talk __________.
그들은 큰 소리로 얘기한다.

08 We solve the problem __________.
우리는 그 문제를 쉽게 푼다.

Words
□ **help** 도와주다 □ **get up** 일어나다 □ **swim** 수영하다 □ **solve** 풀다 □ **problem** 문제

1 다음 영어를 우리말로 쓰세요.

01 a pretty doll → 예쁜 인형

02 a small box → ______

03 a boring movie → ______

04 my clean towel → ______

05 your new bike → ______

06 a difficult question → ______

07 an expensive watch → ______

08 much money → ______

09 hot coffee → ______

10 many people → ______

11 my little cat → ______

12 a cheap computer → ______

Words

- □ **doll** 인형 □ **box** 상자 □ **question** 질문 □ **expensive** 비싼 □ **coffee** 커피
- □ **little** 작은 □ **cheap** 싼

정답 및 해설 p. 8

2 다음 주어진 단어를 알맞은 곳에 써서 문장을 완성하세요.

01 real / really

They are not ___real___ flowers. 그것들은 진짜 꽃들이 아니다.

I am ___really___ full now. 나는 지금 정말로 배부르다.

02 happy / happily

The story has a __________ ending. 그 이야기는 행복한 결말이다.

She lives very __________. 그녀는 매우 행복하게 산다.

03 quick / quickly

The plants grow __________ in summer. 그 식물들은 여름에 빨리 자란다.

He's a __________ learner. 그는 빨리 배우는 사람이다.

04 easy / easily

I can solve the problem __________. 나는 그 문제를 쉽게 풀 수 있다.

It is not an __________ question. 그것은 쉬운 문제가 아니다.

05 loud / loudly

He sings __________. 그는 큰 소리로 노래한다.

He has a __________ voice. 그는 큰 목소리를 가지고 있다.

Words

□ **real** 진짜의 □ **really** 정말로 □ **ending** 결말 □ **plant** 식물 □ **grow** 자라다
□ **summer** 여름 □ **learner** 배우는 사람 □ **voice** 목소리

1 다음 중 형용사가 아닌 것을 고르세요.

① beautiful ② small
③ cold ④ boy
⑤ smart

2 다음 중 형용사와 부사의 연결이 바르지 않은 것을 고르세요.

① happy – happily ② fast – fastly
③ careful – carefully ④ kind – kindly
⑤ early – early

2.
형용사와 부사의 형태가 같은 것을 생각하세요.

3 다음 중 밑줄 친 부분이 잘못된 것을 고르세요.

① I don't have many coins.
② She doesn't drink a lot of coffee.
③ There are many cars on the street.
④ There are many books in the library.
⑤ We don't need many water.

3.
[much+셀 수 없는 명사]와 [many+복수명사] 형태를 구분해 보세요.
coin 동전
street 거리

4 다음 중 빈칸에 올 수 없는 것을 고르세요.

Jane is a ____________ girl.

① kind ② smart
③ pretty ④ beautiful
⑤ slowly

4.
부사는 명사 girl을 꾸며줄 수 없습니다.

5 다음 중 밑줄 친 부분이 잘못된 것을 고르세요.

① I like his yellow bag.
② He has a loudly voice.
③ Cathy is a smart girl.
④ This is my cute sister.
⑤ It is a cheap watch.

5.
부사는 명사를 꾸며줄 수 없습니다.
cute 귀여운

6 다음 우리말과 일치하도록 보기의 단어를 이용하여 문장을 완성하세요.

fast　　beautifully　　slowly

(1) The girl sings __________.
그 소녀는 아름답게 노래한다.

(2) The boy can run __________.
그 소년은 빠르게 달릴 수 있다.

(3) The children walk __________.
그 아이들은 느리게 걷는다.

7 다음 빈칸에 **many**나 **much**를 쓰세요.

(1) There are __________ tables in the restaurant.
식당에 많은 식탁들이 있다.

(2) There isn't __________ milk in the bottle.
병에 많은 우유가 없다.

7.
[much+셀 수 없는 명사]와 [many+복수명사] 형태를 구분해 보세요.

8 다음 밑줄 친 부분을 바르게 고쳐 쓰세요.

They live happy.

→ __________

8.
부사는 동사를 꾸며줍니다.

다음 단어의 뜻을 쓰고, 단어를 더 써보세요.

01 answer	대답(하다)	answer	02 carefully
03 cheap			04 cloth
05 coin			06 dangerous
07 delicious			08 difficult
09 diligent			10 early
11 ending			12 expensive
13 fresh			14 horse
15 kindly			16 late
17 learner			18 little
19 loudly			20 low
21 plant			22 pretty
23 quietly			24 real
25 really			26 slowly
27 solve			28 thirsty
29 voice			30 wrong

CHAPTER 6

동사의 과거형 I

UNIT 01 be동사의 과거형

UNIT 02 일반동사 과거형 - 규칙 변화

be동사의 과거형

1 be동사의 과거형 긍정문과 부정문

과거형은 이미 지나간 과거의 상태나 상황을 나타낼 때 씁니다. '~이었다', '~에 있었다', '~했다'라는 의미입니다.

주어의 형태	be동사 현재형 (긍정/부정)	be동사 과거형 (긍정문)	be동사 과거형 (부정문)
I	am / am not	was	wasn't
He/She/It/This/That	is / isn't	was	wasn't
We/They/These/Those	are / aren't	were	weren't

- I **am** in the classroom. 나는 교실에 있다. (현재)
- I **was** in the classroom. 나는 교실에 있었다. (과거)
- I **wasn't** in the classroom. 나는 교실에 있지 않았다. (과거)

TIPS 과거형은 yesterday(어제), last summer(지난 여름), last Sunday(지난 일요일) 등 과거를 나타내는 표현과 함께 쓸 수 있습니다.
- They were busy yesterday. 그들은 어제 바빴다.

2 be동사의 과거형 의문문과 대답

be동사의 과거형 의문문은 be동사(was/were)를 주어 앞으로 보내고, 문장 맨 끝에 물음표를 붙입니다.

be동사 과거형 (의문문)	주어의 형태	대답
Were	you	Yes, I was. / No, I wasn't.
Was	he/she/it	Yes, he/she/it was. No, he/she/it wasn't.
Were	we/they/ these/those	Yes, you were. / No, you weren't. Yes, they were. / No, they weren't.

- **Were** you in the room? 당신은 방에 있었나요? Yes, I was./No, I wasn't.
- **Were** they busy? 그들은 바빴나요? Yes, they were./No, they weren't.

TIPS Were we ~ ?로 질문하면 you로 대답할 수 있습니다.
A: Were **we** in the classroom? 우리가 교실에 있었나요?
B: Yes, **you** were. / No, **you** weren't. 예, 당신들은 있었어요. / 아니요, 당신들은 없었어요.

Warm Up

정답 및 해설 p. 9

1 다음 우리말과 일치하도록 괄호 안에서 알맞은 것을 고르세요.

01 She (is / was) in the classroom.
그녀는 교실에 있었다.

02 I (am / was) at home yesterday.
나는 어제 집에 있었다.

03 They (are / were) at the zoo now.
그들은 지금 동물원에 있다.

04 Linda (is / was) at the coffee shop.
린다는 커피숍에 있었다.

05 We (are / were) at the restaurant yesterday.
우리는 어제 식당에 있었다.

06 Jake and Tom (was / were) fat last year.
잭과 톰은 지난해 뚱뚱했었다.

07 He (wasn't / weren't) happy yesterday.
그는 어제 행복하지 않았다.

08 They (wasn't / weren't) students last year.
그들은 지난해 학생들이 아니었다.

09 (Were / Was) you at the park?
당신은 공원에 있었나요?

10 (Were / Was) he at home last Sunday?
그는 지난 일요일에 집에 있었나요?

Words

□ **classroom** 교실 □ **yesterday** 어제 □ **zoo** 동물원 □ **coffee shop** 커피숍
□ **restaurant** 식당 □ **fat** 뚱뚱한 □ **last year** 지난해(에) □ **park** 공원

1 다음 우리말과 일치하도록 빈칸에 was[Was]나 were[Were]를 쓰세요.

01 She ___was___ in the classroom.
그녀는 교실에 있었다.

02 Sam __________ at home yesterday.
샘은 어제 집에 있었다.

03 They __________ at the zoo last Sunday.
그들은 지난 일요일에 동물원에 있었다.

04 Kevin __________ a good student.
캐빈은 좋은 학생이었다.

05 __________ you at the restaurant yesterday?
당신은 어제 그 식당에 있었나요?

06 __________ she happy yesterday?
그녀는 어제 행복했나요?

07 Brian __________ sick yesterday.
브라이언은 어제 아팠다.

08 She __________ a famous writer.
그녀는 유명한 작가였다.

09 __________ they popular singers?
그들은 인기 있는 가수들이었나요?

10 __________ Tom in the room?
톰은 그 방에 있었나요?

Words

□ **in the classroom** 교실에 □ **at home** 집에 □ **last Sunday** 지난 일요일(에) □ **sick** 아픈
□ **famous** 유명한 □ **popular** 인기 있는

2 다음 우리말과 일치하도록 빈칸에 wasn't나 weren't를 쓰세요.

01 We weren't hungry last night.
우리는 어젯밤 배가 고프지 않았다.

02 He __________ sick yesterday.
그는 어제 아프지 않았다.

03 They __________ busy yesterday.
그들은 어제 바쁘지 않았다.

04 Jessie __________ late for school yesterday.
제시는 어제 학교에 지각하지 않았다.

05 The food __________ delicious.
그 음식은 맛있지 않았다.

06 The students __________ in the gym.
그 학생들은 체육관에 있지 않았다.

07 My sister __________ a student last year.
내 여동생은 지난해 학생이 아니었다.

08 We __________ at the zoo last Sunday.
우리는 지난 일요일에 동물원에 있지 않았다.

09 It __________ my backpack.
그것은 나의 배낭이 아니었다.

10 I __________ good at English.
나는 영어를 잘하지 못했다.

Words

□ **last night** 어젯밤(에) □ **busy** 바쁜 □ **food** 음식 □ **delicious** 맛있는 □ **gym** 체육관
□ **backpack** 배낭 □ **be good at** ~을 잘하다

1 다음 현재형 문장을 과거형 문장으로 바꿔 쓰세요.

01 She is in the living room. 그녀는 거실에 있다.
➡ She was in the living room yesterday.

02 My room isn't clean. 나의 방은 깨끗하지 않다.
➡ ________________ yesterday.

03 They are at the zoo. 그들은 동물원에 있다.
➡ ________________ yesterday.

04 Linda isn't sad. 린다는 슬프지 않다.
➡ ________________ yesterday.

05 We are in Busan now. 우리는 지금 부산에 있다.
➡ ________________ yesterday.

06 Jake and Tom are good students. 잭과 톰은 좋은 학생들이다.
➡ ________________ last year.

07 The weather is nice today. 오늘 날씨가 좋다.
➡ ________________ last Sunday.

08 They aren't healthy. 그들은 건강하지 않다.
➡ ________________ last year.

09 He isn't at the park. 그는 공원에 있지 않다.
➡ ________________ yesterday.

10 His mom is at home now. 그의 엄마는 지금 집에 있다.
➡ ________________ last night.

Words

□ living room 거실 □ clean 깨끗한 □ sad 슬픈 □ now 지금 □ weather 날씨
□ nice 좋은 □ last Sunday 지난 일요일(에) □ healthy 건강한 □ park 공원

정답 및 해설 p. 9

2 다음 우리말과 일치하도록 대화의 빈칸에 들어갈 알맞은 말을 쓰세요.

01 A: ___Were___ you sick yesterday? 당신은 어제 아팠나요?
B: No, I wasn't. 아니요, 그렇지 않았어요.

02 A: Were they at the party yesterday? 그들은 어제 파티에 있었나요?
B: No, ______________. 아니요, 그렇지 않았어요.

03 A: __________ the students late for school? 그 학생들은 학교에 지각했나요?
B: Yes, they were. 예, 그랬어요.

04 A: Was the movie boring? 그 영화는 지루했나요?
B: No, ______________. 아니요, 그렇지 않았어요.

05 A: Were they in the classroom? 그들은 교실에 있었나요?
B: No, ______________. 아니요, 그렇지 않았어요.

06 A: __________ your father busy yesterday? 당신의 아버지는 어제 바빴나요?
B: Yes, he was. 예, 그랬어요.

07 A: Was he a famous singer? 그는 유명한 가수였나요?
B: No, ______________. 아니요, 그렇지 않았어요.

08 A: Were you tired last night? 당신은 어젯밤 피곤했나요?
B: No, ______________. 아니요, 그렇지 않았어요.

09 A: Were the boys in the room? 그 소년들은 방에 있었나요?
B: Yes, ______________. 예, 그랬어요.

10 A: Was she an actress? 그녀는 여배우였나요?
B: Yes, ______________. 예, 그랬어요.

Words

□ sick 아픈 □ party 파티 □ boring 지루한 □ busy 바쁜 □ famous 유명한
□ singer 가수 □ tired 피곤한 □ actress 여배우

일반동사 과거형 - 규칙 변화

1 일반동사

일반동사는 우리가 하는 모든 행동 등을 나타내는 동사입니다.
예를 들면, run(달리다), eat(먹다), like(좋아하다) 등이 일반동사입니다.

2 일반동사의 과거형

일반동사의 과거형은 과거에 일어난 주어의 동작이나 상태를 표현할 때 사용합니다.

- He **watches** TV every day. 그는 매일 TV를 본다. (현재형)
- He **watched** TV yesterday. 그는 어제 TV를 봤다. (과거형)

3 일반동사의 과거 형태

일반동사 현재형은 주어가 3인칭 단수일 때 동사 뒤에 s 또는 es를 붙이지만 일반동사의 과거형은 주어의 수와 인칭에 상관없이 같은 형태를 씁니다.

- I **played** computer games yesterday. 나는 어제 컴퓨터 게임을 했다.
- He **played** computer games yesterday. 그는 어제 컴퓨터 게임을 했다.
- They **played** computer games yesterday. 그들은 어제 컴퓨터 게임을 했다.

4 과거형 만드는 법 - 규칙 동사

규칙 동사란 다음과 같은 규칙에 의해 과거형을 만들 수 있는 동사를 의미합니다.

대부분의 동사	동사원형+ed	walk → walk**ed** ask → ask**ed** work → work**ed** call → call**ed**
e로 끝나는 동사	동사원형+d	live → live**d** die → die**d**
[자음+y]로 끝나는 동사	y를 i로 바꾸고+ed	study → stud**ied** worry → worr**ied** cry → cr**ied**

TIPS [모음(a, e, i, o, u)+y]로 끝나는 경우는 y 뒤에 ed를 붙입니다.
- play → play**ed**
- stay → stay**ed**

Warm Up

정답 및 해설 p. 10

1 다음 과거형 만드는 규칙에 해당하는 동사를 보기에서 골라 과거형으로 쓰세요.

cry 울다	like 좋아하다	move 움직이다	walk 걷다
play 놀다	stay 머무르다	study 공부하다	pass 지나가다

01 대부분의 경우: 동사원형의 끝에 ed를 붙입니다.

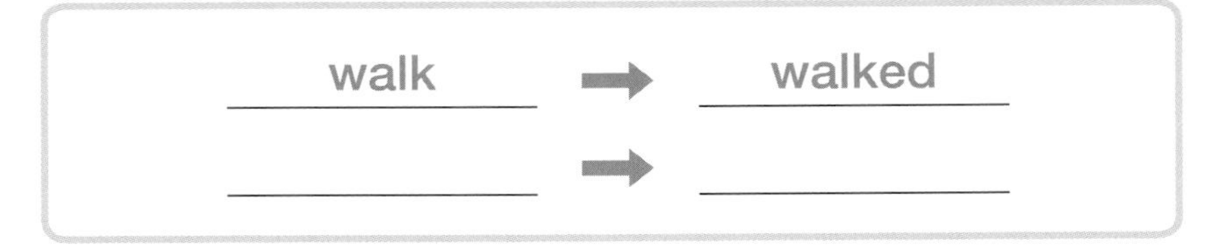

walk → walked

______ → ______

02 -e로 끝나는 경우: d만 붙입니다.

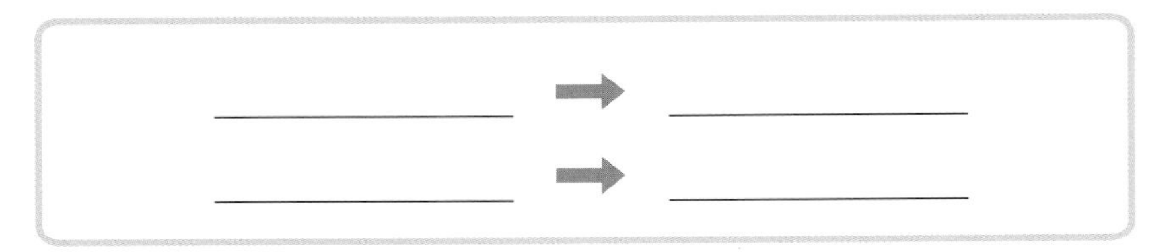

03 [자음+y]로 끝나는 경우: y를 i로 바꾸고 ed를 붙입니다.

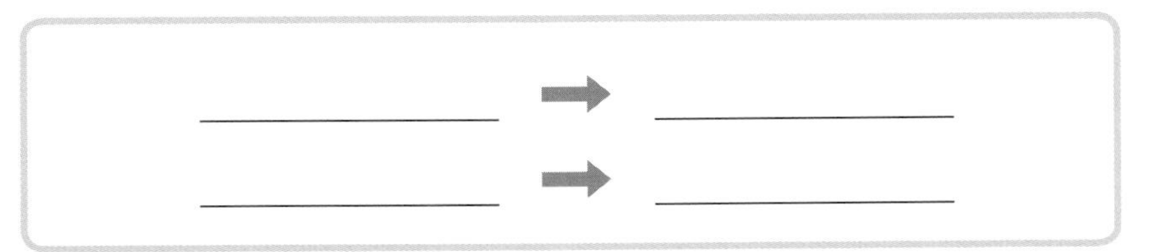

04 [모음+y]로 끝나는 경우: y 뒤에 ed를 붙입니다.

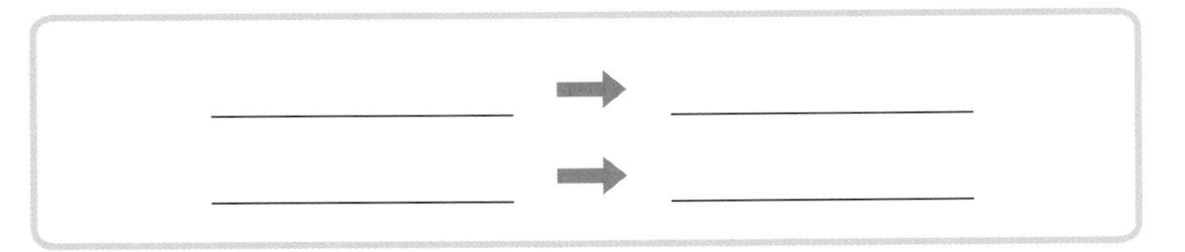

Words

□ cry 울다 □ like 좋아하다 □ move 움직이다 □ walk 걷다 □ play 놀다
□ stay 머무르다 □ study 공부하다 □ pass 지나가다

1 다음 동사의 현재형 뜻을 쓰고, 과거형으로 쓰세요. (과거형은 세 번씩 쓰세요.)

01	cry	울다	cried	cried	cried
02	look				
03	study				
04	visit				
05	cook				
06	work				
07	like				
08	love				
09	play				
10	wash				
11	listen				
12	help				

Words

□ **cry** 울다 □ **visit** 방문하다 □ **cook** 요리하다 □ **play** 놀다, 연주하다 □ **wash** 씻다
□ **listen** 듣다 □ **help** 돕다

정답 및 해설 p. 10

2 다음 동사의 현재형 뜻을 쓰고, 과거형으로 쓰세요. (과거형은 세 번씩 쓰세요.)

01	stay	머무르다	stayed	stayed	stayed
02	dance				
03	arrive				
04	worry				
05	move				
06	try				
07	learn				
08	walk				
09	wait				
10	ask				
11	watch				
12	invite				

Words

- □ **stay** 머무르다
- □ **arrive** 도착하다
- □ **worry** 걱정하다
- □ **try** 노력하다
- □ **wait** 기다리다
- □ **watch** 보다, 시청하다
- □ **invite** 초대하다

1 다음 괄호 안에서 알맞은 것을 고르세요.

01 I (played / plaied) tennis yesterday.
나는 어제 테니스를 쳤다.

02 They (learn / learned) Chinese last year.
그들은 지난해 중국어를 배웠다.

03 She (live / lived) in Seoul.
그녀는 서울에 살았다.

04 They (ask / asked) me questions last Monday.
그들은 지난 월요일에 내게 질문들을 했다.

05 The baby (cryed / cried) all night.
그 아기는 밤새 울었다.

06 Kevin (dance / danced) last night.
캐빈은 어젯밤에 춤을 췄다.

07 I (stayed / staied) at the hotel.
나는 호텔에 머물렀다.

08 They (visit / visited) the museum yesterday.
그들은 어제 박물관을 방문했다.

09 Her brother (liked / likeed) pizza.
그녀의 오빠는 피자를 좋아했다.

10 The students (studyed / studied) English.
그 학생들은 영어를 공부했다.

Words

□ **play tennis** 테니스를 치다 □ **question** 질문 □ **all night** 밤새 □ **hotel** 호텔
□ **museum** 박물관 □ **pizza** 피자 □ **English** 영어

2 다음 빈칸에 주어진 동사의 과거형을 써서 문장을 완성하세요.

01 I ___helped___ my mother. (help)
나는 나의 엄마를 도와줬다.

02 We __________ her to the party. (invite)
우리는 그녀를 파티에 초대했다.

03 She __________ the box last night. (move)
그녀는 어젯밤에 그 상자를 옮겼다.

04 He __________ his face. (wash)
그는 세수했다.

05 They __________ the news on TV. (watch)
그들은 그 뉴스를 TV로 봤다.

06 The girl __________ to the radio. (listen)
그 소녀는 라디오를 들었다.

07 Jack __________ here yesterday. (arrive)
잭은 어제 여기에 도착했다.

08 My father __________ at a bank last year. (work)
나의 아버지는 지난해 은행에서 일했다.

09 Tom __________ her very much. (love)
톰은 그녀를 매우 많이 사랑했다.

10 My dad __________ for me. (wait)
나의 아빠가 나를 기다렸다.

Words

□ **help** 돕다 □ **invite** 초대하다 □ **wash** 씻다 □ **face** 얼굴 □ **news** 뉴스
□ **arrive** 도착하다 □ **work** 일하다 □ **bank** 은행 □ **wait** 기다리다

1 다음 문장을 지시대로 바꿔 쓰세요.

01 Your friends were hungry. 네 친구들은 배가 고팠다.
→ 의문문: Were your friends hungry?

02 They were from France. 그들은 프랑스에서 왔다.
→ 의문문: ____________________

03 His shoes were new. 그의 신발은 새것이었다.
→ 부정문: ____________________

04 James was late for school. 제임스는 학교에 지각했다.
→ 의문문: ____________________

05 The movie was interesting. 그 영화는 재미있었다.
→ 부정문: ____________________

06 The car was in front of the bakery. 그 자동차는 제과점 앞에 있었다.
→ 부정문: ____________________

07 The oranges were sweet. 그 오렌지들은 달콤했다.
→ 부정문: ____________________

08 Anthony was a basketball player. 앤서니는 농구 선수였다.
→ 의문문: ____________________

09 John was at the park last night. 존은 어젯밤에 공원에 있었다.
→ 부정문: ____________________

10 The exam was easy. 그 시험은 쉬웠다.
→ 의문문: ____________________

Words

- □ **hungry** 배가 고픈
- □ **shoe** 신발
- □ **in front of** ~의 앞에
- □ **bakery** 제과점
- □ **sweet** 달콤한
- □ **basketball** 농구
- □ **player** 선수
- □ **exam** 시험
- □ **easy** 쉬운

2 다음 우리말과 일치하도록 보기에서 알맞은 말을 골라 과거형 문장으로 완성하세요.

play 놀다, 연주하다	arrive 도착하다	live 살다	bake 굽다
walk 걷다	study 공부하다	cook 요리하다	watch 보다, 시청하다

01 Cindy ___played___ the piano.
신디는 피아노를 연주했다.

02 They __________ in the library last night.
그들은 어젯밤 도서관에서 공부했다.

03 She __________ in England.
그녀는 영국에서 살았다.

04 They __________ the movie yesterday.
그들은 어제 그 영화를 봤다.

05 I __________ here at 9.
나는 9시에 이곳에 도착했다.

06 Kevin __________ lunch for me.
캐빈은 나를 위해 점심을 요리했다.

07 I __________ some cookies yesterday.
나는 어제 쿠키를 조금 구웠다.

08 They __________ to school this morning.
그들은 오늘 아침에 학교에 걸어갔다.

Words

□ piano 피아노 □ library 도서관 □ movie 영화 □ here 여기(에) □ cookie 쿠키

1 다음 중 동사의 과거형이 잘못된 것을 고르세요.

① like – liked ② visit – visited
③ worry – worryed ④ cook – cooked
⑤ wash – washed

2 다음 중 빈칸에 들어갈 수 없는 것을 고르세요.

Tom was busy ________.

① yesterday ② tomorrow
③ last week ④ last night
⑤ last Sunday

2.
과거형 동사는 과거를 나타내는 말과 함께 올 수 있습니다.
last week 지난주
tomorrow 내일
last Sunday 지난 일요일

3 다음 중 밑줄 친 부분이 잘못된 것을 고르세요.

① My friends was at the zoo.
② His parents were both teachers.
③ The boy wasn't strong.
④ The babies were cute.
⑤ Were you hungry last night?

3.
주어가 복수이면 are/were가 옵니다.

4 다음 중 빈칸에 들어갈 수 있는 말을 고르세요.

We ________ lunch.

① played ② washed ③ walked
④ visited ⑤ cooked

정답 및 해설 p. 10

5 다음 중 밑줄 친 부분이 잘못된 것을 고르세요.

① He washed his hands.
② She lived in Korea.
③ I watched TV yesterday.
④ We learned English.
⑤ She staied at home.

6 다음 대화의 빈칸에 들어갈 알맞은 대답을 쓰세요.

A: Was the girl at the party?
B: Yes, ________________.

➡ ________________

7 다음 문장을 과거형으로 바꾸세요.

(1) He visits his uncle.

➡ ________________________________

(2) They study Chinese.

➡ ________________________________

8 다음 빈칸에 공통으로 들어갈 알맞은 말을 모두 쓰세요.

- I ________ at home yesterday.
- She ________ in the library.
- The boy ________ in the playground.

➡ ________________________

5.
wash one's hands 손을 씻다

7.
visit 방문하다
Chinese 중국어

8.
긍정문과 부정문이 모두 올 수 있습니다.
playground 놀이터, 운동장

다음 단어의 뜻을 쓰고, 단어를 더 써보세요.

01	actress	여배우	actress	02	arrive		
03	bakery			04	busy		
05	cook			06	cry		
07	exam			08	famous		
09	food			10	gym		
11	healthy			12	help		
13	here			14	invite		
15	museum			16	news		
17	now			18	park		
19	pass			20	player		
21	popular			22	restaurant		
23	sick			24	sweet		
25	tired			26	try		
27	visit			28	weather		
29	worry			30	yesterday		

CHAPTER 7
동사의 과거형 II

UNIT 01 일반동사 과거형 – 불규칙 변화
UNIT 02 일반동사 과거형 부정문과 의문문

일반동사 과거형 - 불규칙 변화

1 과거형 불규칙 동사

일반동사 과거형을 만들 때 동사원형에 ed를 붙여 만드는 동사를 '규칙 동사'라고 부르고 ed를 붙이지 않고 다른 형태로 과거가 되는 동사를 '불규칙 동사'라고 합니다. 이러한 '불규칙 동사'의 과거형은 반드시 외워야 합니다.

동사원형	과거형	동사원형	과거형	동사원형	과거형
eat 먹다	ate	run 달리다	ran	drink 마시다	drank
go 가다	went	write (글씨를) 쓰다	wrote	sing 노래하다	sang
build 짓다, 만들다	built	have 가지다	had	sit 앉다	sat
buy 사다	bought	give 주다	gave	sleep 자다	slept
come 오다	came	hit 치다	hit	speak 말하다	spoke
cut 자르다	cut	know 알다	knew	read 읽다	read *발음 [red]
do 하다	did	make 만들다	made	meet 만나다	met
see 보다	saw	drive 운전하다	drove	get 얻다	got

- I **drink** milk in the morning. 나는 아침에 우유를 마신다. (현재의 습관)
- I **drank** milk this morning. 나는 오늘 아침에 우유를 마셨다. (과거의 동작)
- She **does** her homework after school. 그녀는 방과 후 숙제를 한다. (현재의 습관)
- She **did** her homework after school. 그녀는 방과 후 숙제를 했다. (과거의 동작)

TIPS cut, hit, read의 과거형은 현재형과 형태가 같습니다. 다만, read의 과거형은 [red]로 발음해야 합니다.

Warm Up

정답 및 해설 p. 11

1 다음 동사의 현재형 뜻을 쓰고, 과거형을 쓰세요. (과거형은 세 번씩 쓰세요.)

01	eat	먹다	ate	ate	ate
02	go				
03	drink				
04	do				
05	buy				
06	write				
07	have				
08	read				
09	come				
10	make				
11	drive				
12	see				

Words

□ **eat** 먹다 □ **go** 가다 □ **drink** 마시다 □ **do** 하다 □ **write** 쓰다 □ **have** 가지다
□ **read** 읽다 □ **make** 만들다 □ **see** 보다

1 다음 우리말과 일치하도록 괄호 안에서 알맞은 것을 고르세요.

01 They (eated / ate) dinner at 8.
그들은 저녁을 8시에 먹었다.

02 He (gets up / got up) late yesterday.
그는 어제 늦게 일어났다.

03 I (buyed / bought) some vegetables at the market.
나는 시장에서 야채를 조금 샀다.

04 I (go / goed) to the beach every day.
나는 매일 해변에 간다.

05 Kevin (studies / studied) English last night.
캐빈은 어젯밤에 영어를 공부했다.

06 Ted (have / had) a good time at the party.
테드는 파티에서 좋은 시간을 보냈다.

07 He (hit / hited) the ball too hard.
그는 그 공을 너무 세게 쳤다.

08 Tom (singed / sang) on stage.
톰이 무대 위에서 노래를 불렀다.

09 I (did / dided) my homework after school.
나는 방과 후 숙제를 했다.

10 My mom (works / worked) at the hospital last year.
나의 엄마는 지난해 병원에서 일했다.

Words

□ **yesterday** 어제 □ **some** 조금 □ **vegetable** 야채 □ **market** 시장 □ **beach** 해변
□ **every day** 매일 □ **ball** 공 □ **too** 너무 □ **on stage** 무대에서 □ **hospital** 병원

정답 및 해설 p. 11

2 다음 우리말과 일치하도록 괄호 안에서 알맞은 것을 고르세요.

01 We (make / made) a snowman.
우리는 눈사람을 만들었다.

02 Cathy (reads / read) a book yesterday.
캐시는 어제 책을 읽었다.

03 I (see / saw) Mike at the shopping mall yesterday.
나는 어제 쇼핑몰에서 마이크를 봤다.

04 She (drank / drinked) some milk this morning.
그녀는 오늘 아침에 우유를 조금 마셨다.

05 Kevin (wrote / wroted) an email last night.
캐빈은 어젯밤 이메일을 썼다.

06 She (come / came) back to school after the test.
그녀는 시험이 끝난 후 학교에 돌아왔다.

07 They (build / built) the bridge last year.
그들은 지난해 그 다리를 지었다.

08 Tom (gave / gaved) his pencil to me.
톰이 나에게 그의 연필을 줬다.

09 She (drive / drove) to work yesterday.
그녀는 어제 자동차로 출근했다.

10 My friends (ran / runned) to my house.
나의 친구들은 내 집에 뛰어왔다.

Words

□ **snowman** 눈사람 □ **shopping mall** 쇼핑몰 □ **morning** 아침 □ **email** 이메일
□ **come back** 돌아오다 □ **bridge** 다리 □ **house** 집

1 다음 주어진 동사를 이용하여 과거형 문장을 완성하세요.

01 They ___knew___ my name. (know)
그들은 나의 이름을 알았다.

02 We __________ shopping yesterday. (go)
우리는 어제 쇼핑을 갔다.

03 He __________ the paper. (cut)
그는 그 종이를 잘랐다.

04 She __________ some coffee. (drink)
그녀는 커피를 조금 마셨다.

05 Jane __________ a science magazine. (read)
제인은 과학 잡지를 읽었다.

06 I __________ well last night. (sleep)
나는 어젯밤 잘 잤다.

07 He __________ to the students yesterday. (speak)
그는 어제 그 학생들에게 연설을 했다.

08 They __________ a beautiful house last year. (build)
그들은 지난해 아름다운 집을 지었다.

09 He __________ some bread. (buy)
그는 빵을 조금 샀다.

10 Cindy __________ early this morning. (get up)
신디는 오늘 아침 일찍 일어났다.

Words

- □ **name** 이름
- □ **paper** 종이
- □ **science** 과학
- □ **magazine** 잡지
- □ **speak** 연설하다
- □ **beautiful** 아름다운
- □ **buy** 사다
- □ **early** 일찍

2 다음 우리말과 일치하도록 빈칸에 보기에서 알맞은 말을 골라 과거형 문장으로 완성하세요.

do 하다	read 읽다	sit 앉다	make 만들다
give 주다	sing 노래하다	drive 운전하다	get 받다

01 He ___did___ his homework after dinner.
그는 저녁식사 후 숙제를 했다.

02 My brother __________ next to me.
나의 형은 내 옆에 앉았다.

03 We __________ a big kite.
우리는 커다란 연을 만들었다.

04 I __________ an email from her.
나는 그녀로부터 이메일을 받았다.

05 My mom __________ me some coins.
나의 엄마가 나에게 동전들을 조금 주셨다.

06 She __________ carefully.
그녀는 조심스럽게 운전을 했다.

07 My friends __________ together.
내 친구들은 함께 노래를 불렀다.

08 Ted __________ a newspaper this morning.
테드는 오늘 아침에 신문을 읽었다.

Words

- □ **homework** 숙제 □ **after dinner** 저녁식사 후에 □ **next to** ~ 옆에 □ **kite** 연
- □ **coin** 동전 □ **carefully** 조심스럽게 □ **together** 함께 □ **newspaper** 신문

일반동사 과거형 부정문과 의문문

1 일반동사의 과거형 부정문

의미	'~하지 않았다'라는 의미로 과거 행동이나 상태를 부정합니다.
형태	동사 앞에 **didn't**를 붙인 다음에 동사원형을 씁니다. [주어+didn't+동사원형~.]

- I ate dinner. → I **didn't eat** dinner.
  나는 저녁식사를 먹었다. → 나는 저녁식사를 먹지 않았다.
- He played soccer yesterday. → He **didn't play** soccer yesterday.
  그는 어제 축구를 했다. → 그는 어제 축구를 하지 않았다.

TIPS 부정문을 만들 때에는 주어의 인칭과 수에 상관없이 didn't를 사용합니다.
㉮ She/He/We/They didn't eat dinner yesterday.

2 일반동사 과거형 의문문

의미	'~했나요?'라는 의미로 과거의 행동이나 상태를 물을 때 사용합니다.
형태	주어의 인칭과 수에 상관없이 주어 앞에 Did를 쓰고 주어 다음 동사를 동사원형으로 바꿉니다. 그리고 문장 끝에 물음표를 붙입니다. [Did+주어+동사원형~?]

- He lived in Seoul. → **Did** he **live** in Seoul?
  그는 서울에 살았다. → 그는 서울에 살았나요?
- They went to the zoo. → **Did** they **go** to the zoo?
  그들은 동물원에 갔다. → 그들은 동물원에 갔나요?

3 일반동사의 과거형 의문문 대답

주어의 인칭과 수에 상관없이 긍정에는 did를, 부정에는 didn't를 사용합니다.

의문문	긍정 대답	부정 대답
Did he **live** in Seoul? 그는 서울에 살았나요?	Yes, he **did**. 예, 그는 살았어요.	No, he **didn't**. 아니요, 그는 살지 않았어요.

TIPS 명사 주어로 물어보더라도 대답은 인칭대명사 주어로 바꿔서 합니다.
- Did **your friends** go to the zoo? 당신 친구들은 동물원에 갔나요?
- Yes, **they** did. / No, **they** didn't. 예, 그들은 갔어요. / 아니요, 그들은 가지 않았어요.

Warm Up

정답 및 해설 p. 11

1 다음 괄호 안에서 알맞은 것을 고르세요.

01 We (don't / didn't) play soccer yesterday.
우리는 어제 축구를 하지 않았다.

02 We (don't / didn't) go to school yesterday.
우리는 어제 학교에 가지 않았다.

03 I (don't / didn't) see Jessie at the cafeteria yesterday.
나는 어제 구내식당에서 제시를 보지 못했다.

04 (Do / Did) you play the piano yesterday?
당신은 어제 피아노를 쳤나요?

05 She didn't (help / helped) her friends.
그녀는 그녀의 친구들을 도와주지 않았다.

06 The girl (don't / didn't) clean her room.
그 소녀는 그녀의 방을 청소하지 않았다.

07 (Do / Did) they study English last night?
그들은 어젯밤에 영어 공부를 했나요?

08 Did she (sing / sings) a song yesterday?
그녀는 어제 노래를 불렀나요?

09 He didn't (eat / ate) breakfast.
그는 아침식사를 먹지 않았다.

10 (Do / Did) Henry get up early?
헨리는 일찍 일어났나요?

Words

- □ **soccer** 축구
- □ **cafeteria** 구내식당
- □ **play the piano** 피아노를 치다
- □ **room** 방
- □ **song** 노래
- □ **breakfast** 아침식사
- □ **early** 일찍

1 다음 주어진 단어를 이용하여 과거형 부정문 문장을 완성하세요.

01 I ___didn't eat___ the cake. (eat)
나는 그 케이크를 먹지 않았다.

02 He ________________ a good time at the party. (have)
그는 파티에서 좋은 시간을 보내지 않았다.

03 Jack ________________ to school yesterday. (walk)
잭은 어제 학교에 걸어가지 않았다.

04 He ________________ me this morning. (call)
그는 오늘 아침 내게 전화하지 않았다.

05 She ________________ the bag to me. (give)
그녀는 내게 그 가방을 주지 않았다.

06 Sarah ________________ my phone number. (know)
사라는 내 전화번호를 알지 못했다.

07 They ________________ at a hotel. (stay)
그들은 호텔에 머물지 않았다.

08 Jessie ________________ home. (come)
제시는 집에 오지 않았다.

09 My dad ________________ the tree. (cut)
나의 아빠가 그 나무를 자르지 않았다.

10 He ________________ happy. (look)
그는 행복해 보이지 않았다.

Words

- □ **time** 시간
- □ **party** 파티
- □ **bag** 가방
- □ **phone number** 전화번호
- □ **hotel** 호텔
- □ **cut** 자르다
- □ **look** ~해 보이다
- □ **happy** 행복한

2 다음 문장을 의문문으로 바꿔 만들 때 빈칸에 알맞은 말을 쓰세요.

01 You ate dinner. 너는 저녁식사를 먹었다.

➡ ___Did___ you ___eat___ dinner?

02 He drove a car. 그는 자동차를 운전했다.

➡ __________ he __________ a car?

03 She learned Chinese. 그녀는 중국어를 배웠다.

➡ __________ she __________ Chinese?

04 They met her mom. 그들은 그녀의 엄마를 만났다.

➡ __________ they __________ her mom?

05 He gave a pencil to Jim. 그는 짐에게 연필을 줬다.

➡ __________ he __________ a pencil to Jim?

06 Mike drank juice this morning. 마이크는 오늘 아침에 주스를 마셨다.

➡ __________ Mike __________ juice this morning?

07 Your sisters washed the dishes. 너의 여동생들은 설거지를 했다.

➡ __________ your sisters __________ the dishes?

08 She worked at a hospital. 그녀는 병원에서 일했다.

➡ __________ she __________ at a hospital?

09 The game started at 9 p.m. 그 경기는 오후 9시에 시작했다.

➡ __________ the game __________ at 9 p.m.?

10 You knew my name. 너는 내 이름을 알고 있었다.

➡ __________ you __________ my name?

Words

- □ **Chinese** 중국어
- □ **meet** 만나다
- □ **wash the dishes** 설거지를 하다
- □ **work** 일하다
- □ **start** 시작하다
- □ **game** 경기
- □ **name** 이름

1 다음 문장을 부정문으로 바꿔 쓰세요.

01 We studied math. 우리는 수학을 공부했다.
➡ We ___didn't___ ___study___ math.

02 He played the piano. 그는 피아노를 연주했다.
➡ He ________ ________ the piano.

03 He loved Mary. 그는 메리를 사랑했다.
➡ He ________ ________ Mary.

04 She helped her mom. 그녀는 그녀의 엄마를 도왔다.
➡ She ________ ________ her mom.

05 Mike changed the plan. 마이크는 그 계획을 변경했다.
➡ Mike ________ ________ the plan.

06 My mom went shopping yesterday. 나의 엄마는 어제 쇼핑을 갔다.
➡ My mom ________ ________ shopping yesterday.

07 I saw the man on the bus. 나는 버스에서 그 남자를 봤다.
➡ I ________ ________ the man on the bus.

08 The girls cleaned the classroom. 그 소녀들은 그 교실을 청소했다.
➡ The girls ________ ________ the classroom.

09 They went to the beach yesterday. 그들은 어제 해변에 갔다.
➡ They ________ ________ to the beach yesterday.

10 Ben got up early. 벤은 일찍 일어났다.
➡ Ben ________ ________ ________ early.

Words

□ **math** 수학 □ **change** 변경하다, 바꾸다 □ **plan** 계획 □ **go shopping** 쇼핑을 가다
□ **on the bus** 버스에서 □ **classroom** 교실 □ **beach** 해변

정답 및 해설 p. 11

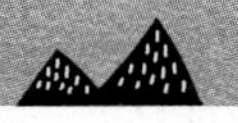

2 다음 대화의 빈칸에 들어갈 알맞은 대답을 쓰세요.

01 A: Did you finish the homework? (you = 단수) 당신은 숙제를 끝냈나요?
B: Yes, ___I___ ___did___.

02 A: Did he swim in the sea? 그는 바다에서 수영했나요?
B: No, ________ ________.

03 A: Did she make this pizza? 그녀는 이 피자를 만들었나요?
B: Yes, ________ ________.

04 A: Did your brother play the guitar? 당신의 오빠가 기타를 연주했나요?
B: No, ________ ________.

05 A: Did the store open at 9? 그 상점은 9시에 열었나요?
B: Yes, ________ ________.

06 A: Did they watch the soccer game? 그들은 그 축구 경기를 보았나요?
B: No, ________ ________.

07 A: Did the man live in Seoul? 그 남자는 서울에 살았나요?
B: Yes, ________ ________.

08 A: Did she know the answer? 그녀는 그 답을 알았나요?
B: No, ________ ________.

09 A: Did they study hard? 그들은 열심히 공부했나요?
B: Yes, ________ ________.

10 A: Did your sisters sing together? 당신의 누나들은 함께 노래했나요?
B: No, ________ ________.

Words

□ **finish** 끝내다 □ **homework** 숙제 □ **swim** 수영하다 □ **sea** 바다 □ **guitar** 기타
□ **store** 상점 □ **soccer game** 축구 경기 □ **live in** ~에 살다 □ **together** 함께

1 다음 문장을 지시대로 바꿔 쓰세요.

01 He baked the chocolate cookies. 그는 그 초콜릿 쿠키들을 구웠다.
→ 부정문: He didn't bake the chocolate cookies.

02 Anne wrote the letter. 앤이 그 편지를 썼다.
→ 의문문: ______________________

03 He met his friends. 그는 그의 친구들을 만났다.
→ 부정문: ______________________

04 The girl took this picture. 그 소녀가 이 사진을 찍었다.
→ 의문문: ______________________

05 The boy studied hard. 그 소년은 열심히 공부했다.
→ 부정문: ______________________

06 They built the house. 그들이 그 집을 지었다.
→ 의문문: ______________________

07 I bought your birthday cake. 나는 너의 생일 케이크를 샀다.
→ 부정문: ______________________

08 Mary liked spicy food. 메리는 매운 음식을 좋아했다.
→ 의문문: ______________________

09 I answered the question. 나는 그 질문에 대답했다.
→ 부정문: ______________________

10 Bob cut the pie in half. 밥이 그 파이를 반으로 잘랐다.
→ 의문문: ______________________

Words

- □ **bake** 굽다 □ **chocolate** 초콜릿 □ **letter** 편지 □ **take a picture** 사진을 찍다
- □ **birthday** 생일 □ **spicy** 매운 □ **answer** 대답하다 □ **in half** 반으로

2 다음 밑줄 친 부분을 바르게 고쳐 쓰세요.

01 I didn't liked the color. → like
나는 그 색을 좋아하지 않았다.

02 Did you had a good time at the party? → ________
당신은 파티에서 좋은 시간을 보냈나요?

03 Does you get up early yesterday? → ________
당신은 어제 일찍 일어났나요?

04 We don't watch TV this morning. → ________
우리는 오늘 아침에 TV를 보지 않았다.

05 Did the boys played baseball? → ________
그 소년들은 야구를 했나요?

06 Sarah doesn't finish her homework last night. → ________
사라는 어젯밤 숙제를 마치지 못했다.

07 Did they loved Korean food? → ________
그들은 한국 음식을 좋아했나요?

08 Do you see Mike at the coffee shop yesterday? → ________
당신은 어제 커피숍에서 마이크를 보았나요?

09 He didn't met his friends. → ________
그는 그의 친구들을 만나지 않았다.

10 He doesn't play computer games yesterday. → ________
그는 어제 컴퓨터 게임을 하지 않았다.

Words

- □ **color** 칼라
- □ **party** 파티
- □ **play baseball** 야구를 하다
- □ **Korean food** 한국 음식
- □ **computer game** 컴퓨터 게임

1 다음 중 동사의 과거형이 잘못된 것을 고르세요.

① write – wrote ② give – gave
③ run – ran ④ read – read
⑤ hit – hited

[2-3] 다음 중 밑줄 친 부분이 잘못된 것을 고르세요.

2
① I knowed her name.
② They came back early.
③ We studied English.
④ She slept in her bed.
⑤ I went shopping yesterday.

3
① He didn't help me.
② Tom didn't go outside.
③ They didn't met her.
④ Jiho didn't eat lunch.
⑤ I didn't drink the juice.

4 다음 중 빈칸에 공통으로 들어갈 알맞은 것을 쓰세요.

• I ________ watch TV last night.
• She ________ listen to the radio.

① don't ② doesn't ③ isn't
④ didn't ⑤ wasn't

1.
과거형이 동사원형과 형태가 같은 단어를 생각하세요.
write 쓰다

2.
know 알다
sleep 자다

3.
과거 문장의 부정형은 [didn't+동사원형] 형태입니다.
go outside 밖에 나가다

4.
last night 지난밤
listen 듣다

정답 및 해설 p. 12

5 다음 중 보기의 문장을 부정문으로 바르게 바꿔 쓴 것을 고르세요.

Jenny studied hard.

① Jenny studied not hard.
② Jenny didn't studied hard.
③ Jenny was not study hard.
④ Jenny didn't study hard.
⑤ Jenny doesn't study hard.

5.
과거 문장의 부정형은
[didn't+동사원형] 형태입니다.
study hard 열심히 공부하다

6 다음 빈칸에 공통으로 들어갈 알맞은 것을 쓰세요.

- ________ you see him at the park?
- ________ he stay at home yesterday?

➡ ____________

6.
과거를 나타내는 yesterday가
문장에 있다는 것을 참조하세요.

7 다음 문장을 과*–거형으로 바꿀 때, 빈칸에 알맞은 단어를 쓰세요.

I do my homework.

➡ 과거형: I ____________ my homework.

7.
여기서 do는 '~하다'라는 의미
의 동사입니다.

8 다음 문장을 지시대로 바꿔 쓰세요.

(1) Mike drove to work.
➡ 부정문: ________________________________

(2) He built the house.
➡ 의문문: ________________________________

8.
build 짓다, 만들다

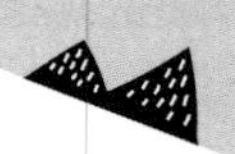

다음 단어의 뜻을 쓰고. 단어를 더 써보세요.

01	baseball	야구	baseball	02	beautiful		
03	birthday			04	bridge		
05	build			06	buy		
07	cafeteria			08	drink		
09	email			10	finish		
11	game			12	guitar		
13	half			14	hospital		
15	know			16	magazine		
17	market			18	math		
19	newspaper			20	number		
21	party			22	phone		
23	plan			24	science		
25	sea			26	song		
27	spicy			28	store		
29	together			30	write		

CHAPTER 8
전치사

UNIT 01 시간과 장소의 전치사
UNIT 02 위치의 전치사

시간과 장소의 전치사

1 시간 앞에 쓰는 전치사

전치사란 '단어 앞에 오는 말'이란 뜻으로 시간 전치사는 시간을 나타내는 명사 앞에 오며 모두 '~에'라고 해석합니다.

at (구체적인 시각 또는 하루의 때 앞에)	at 9:00 9시에 at night 밤에 at noon 정오에	My school begins **at** 9:00. 나의 학교는 9시에 시작한다. I read books **at** night. 나는 밤에 책을 읽는다.
on (요일 앞에)	on Monday 월요일에 on Sunday 일요일에	I play soccer **on** Monday. 나는 월요일에 축구를 한다.
in (월이나 계절 앞에)	in May 5월에 in the summer 여름에	We go on a picnic **in** May. 우리는 5월에 소풍을 간다. We go fishing **in** the summer. 우리는 여름에 낚시를 간다.

TIPS in은 아침, 점심, 저녁을 나타낼 때에도 사용합니다. 이때 반드시 the와 함께 써야 합니다.
- in the morning 아침에 · in the afternoon 오후에 · in the evening 저녁에

요일, 월, 도시이름, 국가이름, 사람이름을 쓸때 첫 알파벳은 대문자로 씁니다.
- on monday (×) on Monday (○) 월요일에 · in september (×) in September (○) 9월에
- busan (×) Busan (○) 부산 · korea (○) Korea (○) 한국 · john (×) John (○) 존(사람이름)

2 장소를 나타내는 전치사

장소 전치사는 뒤에 장소를 나타내는 말이 옵니다.

at ~에(서)	at home 집에(서) at school 학교에(서) at the bus stop 버스 정류장에(서)	I stay **at** home on Sunday. 나는 일요일에 집에 머문다. There is a boy **at** the bus stop. 버스 정류장에 한 소년이 있다.
in ~에(서)	in Korea 한국에(서) in Busan 부산에(서)	He lives **in** Korea. 그는 한국에 산다.

TIPS 장소 전치사 in은 도시나 국가처럼 비교적 넓은 장소 앞에 오며, at은 비교적 좁은 장소 앞에 와서 '~에(서)'라고 해석합니다.
- in Korea 한국에(서) · at home 집에(서)

정답 및 해설 p. 12

1 다음 괄호 안에서 알맞은 전치사를 고르세요.

01 (at / on / in) 9:00 9시에

02 (at / on / in) noon 정오에

03 (at / on / in) Monday 월요일에

04 (at / on / in) the morning 아침에

05 (at / on / in) the afternoon 오후에

06 (at / on / in) the evening 저녁에

07 (at / on / in) home 집에(서)

08 (at / on / in) the bus stop 버스 정류장에(서)

09 (at / on / in) Korea 한국에(서)

10 (at / on / in) May 5월에

11 (at / on / in) the summer 여름에

12 (at / on / in) Saturday 토요일에

Words

☐ **noon** 정오 ☐ **Monday** 월요일 ☐ **bus stop** 버스 정류장 ☐ **May** 5월
☐ **summer** 여름 ☐ **Saturday** 토요일

1 다음 괄호 안에서 알맞은 전치사를 고르고, 그 전체 의미를 쓰세요.

01 (at / on) school → 학교에(서)

02 (on / in) Sunday → ____________

03 (in / on) Canada → ____________

04 (in / at) the morning → ____________

05 (in / on) July → ____________

06 (in / at) night → ____________

07 (in / on) the winter → ____________

08 (at / on) noon → ____________

09 (at / on) the bus stop → ____________

10 (on / in) the spring → ____________

11 (in / on) September → ____________

12 (in / at) 9:30 → ____________

Words

□ **Canada** 캐나다 □ **July** 7월 □ **winter** 겨울 □ **spring** 봄 □ **September** 9월

정답 및 해설 p. 12

2 다음 괄호 안에서 알맞은 것을 고르세요.

01 I have breakfast (at / on) 8:30.
나는 8시 30분에 아침식사를 한다.

02 Spring comes (at / in) March.
봄은 3월에 온다.

03 We play baseball (at / on) Saturday.
우리는 토요일에 야구를 한다.

04 We go skiing (at / in) the winter.
우리는 겨울에 스키 타러 간다.

05 They live (at / in) Seoul.
그들은 서울에 산다.

06 My school begins (at / in) 9:00.
나의 학교는 9시에 시작한다.

07 I read books (at / in) night.
나는 밤에 책을 읽는다.

08 They eat lunch (at / in) noon.
그들은 정오에 점심식사를 한다.

09 She comes back home (at / in) 6 o'clock.
그녀는 6시에 집에 돌아온다.

10 I go shopping (on / in) Sunday.
나는 일요일에 쇼핑을 하러 간다.

Words

- □ **breakfast** 아침식사
- □ **spring** 봄
- □ **baseball** 야구
- □ **go skiing** 스키 타러 가다
- □ **begin** 시작하다
- □ **at night** 밤에
- □ **go shopping** 쇼핑 하러 가다

1 다음 괄호 안에서 알맞은 것을 고르세요.

01 My birthday is (at / in) September.
내 생일은 9월이다.

02 I stay (at / in) home on Sunday.
나는 일요일에는 집에 머문다.

03 There is a boy (at / on) the bus stop.
버스 정류장에 한 소년이 있다.

04 I play computer games (in / on) the afternoon.
나는 오후에 컴퓨터 게임을 한다.

05 We go on a field trip (on / in) the fall.
우리는 가을에 현장학습을 간다.

06 The movie begins (on / at) 11:00.
그 영화는 11시에 시작한다.

07 James lives (at / in) Incheon.
제임스는 인천에 산다.

08 I go swimming (at / on) Tuesday.
나는 화요일에 수영을 하러 간다.

09 We watch TV (at / in) the evening.
우리는 저녁에 TV를 본다.

10 We have a flower festival (at / in) March.
우리는 3월에 꽃 축제가 있다.

Words

- □ **birthday** 생일 □ **September** 9월 □ **field trip** 현장학습 □ **fall** 가을 □ **movie** 영화
- □ **Tuesday** 화요일 □ **festival** 축제 □ **March** 3월

정답 및 해설 p. 13

2 다음 빈칸에 at/on/in 중 하나를 골라 쓰세요.

01 She goes to bed ___at___ 10:30.
그녀는 10시 30분에 자러 간다.

02 We go to the beach ________ the summer.
우리는 여름에 해변에 간다.

03 She takes a walk ________ Sunday.
그녀는 일요일에 산책을 한다.

04 Her birthday is ________ April.
그녀의 생일은 4월이다.

05 I jog ________ the morning.
나는 아침에 조깅한다.

06 I study English ________ night.
나는 밤에 영어를 공부한다.

07 My mom goes to the market ________ Saturday.
내 엄마는 토요일에 시장에 간다.

08 I meet my friends ________ school.
나는 친구들을 학교에서 만난다.

09 We swim in the river ________ August.
우리는 8월에 강에서 수영을 한다.

10 Minsu lives ________ Seoul.
민수는 서울에 산다.

Words
- □ **go to bed** 자러 가다
- □ **beach** 해변
- □ **take a walk** 산책하다
- □ **April** 4월
- □ **market** 시장
- □ **river** 강
- □ **August** 8월

위치의 전치사

1 위치의 전치사

위치를 나타내는 전치사 다음에는 위치나 장소와 관련된 말들이 옵니다.

in ~ 안에	 **in** the basket 바구니 안에	There is a cat **in** the basket. 바구니 안에 고양이가 있다.
on ~ 위에	 **on** the basket 바구니 위에	There is a cat **on** the basket. 바구니 위에 고양이가 있다.
under ~ 아래에(서)	 **under** the basket 바구니 아래에	There is a cat **under** the basket. 바구니 아래에 고양이가 있다.
behind ~ 뒤에(서)	 **behind** the tree 나무 뒤에(서)	There is a bench **behind** the tree. 나무 뒤에 벤치가 있다.
in front of ~ 앞에(서)	 **in front of** the house 집 앞에(서)	There is a tree **in front of** the house. 집 앞에 나무가 있다.
between ~ 사이에	 **between** the trees 나무 사이에	There is a bench **between** the trees. 나무들 사이에 벤치가 있다.
next to ~ 옆에	 **next to** the house 집 옆에	There is a car **next to** the house. 집 옆에 자동차가 있다.

TIPS
- 위치 전치사 on은 '~ 위에'라는 의미로 물체 위에 닿아 있거나 붙어 있는 경우에만 사용합니다.
- 위치 전치사 in은 '~ 안에'라는 의미로 사람이나 물건이 내부에 있을 때 사용합니다.

Warm Up

정답 및 해설 p. 13

1 다음 그림을 보고 알맞은 전치사를 고르고, 그 뜻을 쓰세요.

01  (in) / on  ~ 안에

02  in / on  ____________

03  under / behind  ____________

04  under / in front of  ____________

05  on / next to  ____________

06  in front of / between  ____________

07  behind / next to  ____________

Words

□ **in** ~ 안에 □ **under** ~ 아래에(서) □ **behind** ~ 뒤에(서) □ **in front of** ~ 앞에(서)
□ **between** ~ 사이에 □ **next to** ~ 옆에

1 다음 그림을 보고 괄호 안에서 알맞은 전치사를 고르세요.

01 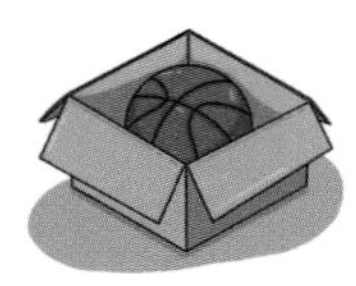

The ball is (on / in / next to) the box.
그 공은 상자 안에 있다.

02 

The ball is (on / in / next to) the box.
그 공은 상자 위에 있다.

03 

The ball is (on / in / next to) the box.
그 공은 상자 옆에 있다.

04 

The ball is (under / in / next to) the table.
그 공은 식탁 아래에 있다.

05 

The ball is (under / in front of / next to) the box.
그 공은 상자 앞에 있다.

06 

The ball is (under / on / next to) the desk.
그 공은 책상 위에 있다.

07 

The ball is (under / in front of / between) the boxes.
그 공은 상자들 사이에 있다.

08 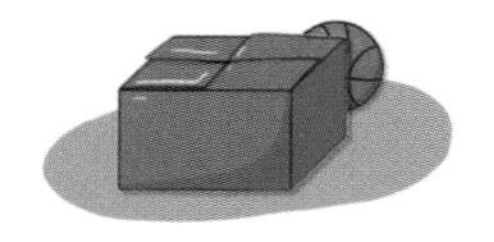

The ball is (under / behind / next to) the box.
그 공은 상자 뒤에 있다.

Words

□ box 상자 □ ball 공 □ table 식탁 □ desk 책상

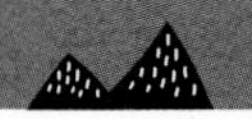
정답 및 해설 p. 13

2 다음 괄호 안에서 알맞은 전치사를 고르세요.

01 박스 안에 사과 → the apple (on / (in)) the box

02 식탁 위에 숟가락 → the spoon (under / on) the table

03 은행 옆 건물 → the building (on / next to) the bank

04 잔디 위에 말 → the horse (on / under) the grass

05 박물관 뒤에 주차장 → the parking lot (next to / behind) the museum

06 나무들 사이에 벤치 → the bench (beside / between) the trees

07 집 뒤에 정원 → the garden (behind / between) the house

08 병원 앞에 나무 → the tree (in front of / between) the hospital

09 가방 안에 책 → the book (behind / in) the bag

10 내 동생 옆에 소년 → the boy (behind / next to) my brother

11 내 친구 뒤에 남자 → the man (behind / next to) my friend

12 학교 앞에 상점 → the store (behind / in front of) the school

□ **spoon** 숟가락 □ **building** 건물 □ **bank** 은행 □ **grass** 잔디 □ **parking lot** 주차장
□ **museum** 박물관 □ **garden** 정원 □ **hospital** 병원 □ **store** 상점

1 다음 우리말과 일치하도록 괄호 안에서 알맞은 전치사를 고르세요.

01 There is a ball (on / in) the box.
상자 안에 공이 있다.

02 There is a cat (under / on) the piano.
피아노 위에 고양이가 있다.

03 There are pencils (on / in) the pencil case.
필통 안에 연필들이 있다.

04 The dog is (on / in) the grass.
그 개가 잔디 위에 있다.

05 My house is (next to / behind) the bank.
나의 집은 은행 옆에 있다.

06 The boy is (beside / between) the cars.
그 소년은 자동차들 사이에 있다.

07 The post office is (in front of / beside) the museum.
그 우체국은 박물관 앞에 있다.

08 There are two people (in front of / behind) the bench.
벤치 뒤에 두 명의 사람들이 있다.

09 There is a book (under / next to) the table.
식탁 아래에 책이 있다.

10 There are oranges (in / on) the basket.
바구니 안에 오렌지들이 있다.

Words
□ **ball** 공 □ **pencil case** 필통 □ **grass** 잔디 □ **bank** 은행 □ **basket** 바구니

2 다음 우리말과 일치하도록 빈칸에 보기에서 알맞은 말을 골라 문장을 완성하세요.

on 위에	in 안에	next to 옆에	behind 뒤에(서)
in front of 앞에(서)	under 아래에(서)	between 사이에	

01 I have two books ___in___ my bag.
나는 내 가방 안에 두 권의 책을 가지고 있다.

02 She meets Tom ______________ the bank.
그녀는 은행 앞에서 톰을 만난다.

03 There is a vase ______________ the table.
식탁 위에 꽃병이 하나 있다.

04 There is a coin ______________ the chair.
의자 아래에 동전이 하나 있다.

05 There is a girl ______________ the curtain.
커튼 뒤에 한 소녀가 있다.

06 My house is ______________ the drugstore.
나의 집은 약국 앞에 있다.

07 The ball is ______________ the trees.
그 공은 나무들 사이에 있다.

08 My school is ______________ the convenience store.
나의 학교는 편의점 옆에 있다.

Words

□ **bag** 가방 □ **meet** 만나다 □ **vase** 꽃병 □ **coin** 동전 □ **curtain** 커튼
□ **drugstore** 약국 □ **convenience store** 편의점

1 다음 우리말과 일치하도록 주어진 단어를 바르게 배열하여 문장을 완성하세요.

01 나는 7시에 일어난다. (7 / o'clock / at)

➡ I get up ____at 7 o'clock____.

02 나는 금요일에 수영강습이 있다. (Friday / on)

➡ I have swimming lessons ________________.

03 우리는 7월에 해변에 간다. (July / in)

➡ We go to the beach ________________.

04 내 엄마는 지금 집에 있다. (home / at)

➡ My mom is ________________ now.

05 그녀는 밤에 커피를 마시지 않는다. (night / at)

➡ She doesn't drink coffee ________________.

06 나의 언니는 저녁에 피아노를 친다. (the / in / evening)

➡ My sister plays the piano ________________.

07 빌은 한국에 산다. (Korea / in)

➡ Bill lives ________________.

08 나는 목요일에 영어를 공부한다. (Thursday / on)

➡ I study English ________________.

09 우리는 학교에서 영어를 배우지 않는다. (school / at)

➡ We don't learn English ________________.

10 나는 10월에 내 삼촌을 방문한다. (October / in)

➡ I visit my uncle ________________.

Words

□ **get up** 일어나다 □ **lesson** 강습 □ **beach** 해변 □ **now** 지금 □ **visit** 방문하다

정답 및 해설 p. 13

2 다음 우리말과 일치하도록 밑줄 친 부분을 바르게 고쳐 쓰세요.

01 그 고양이는 식탁 아래에 있다.
The cat is <u>on</u> the table. → under

02 우리는 서울에 산다.
We live <u>at</u> Seoul. → ________

03 그 남자는 문 뒤에 있다.
The man is <u>in front of</u> the door. → ________

04 짐은 극장 앞에 있다.
Jim is <u>on</u> the theater. → ________

05 그 소년은 자동차들 사이에 있다.
The boy is <u>behind</u> the cars. → ________

06 그들은 지금 집에 있다.
They are <u>under</u> home now. → ________

07 그 소년은 버스 옆에 있다.
The boy is <u>in</u> the bus. → ________

08 책상 위에 휴대전화가 있다.
There is a cell phone <u>in</u> the desk. → ________

09 내 엄마는 아침에 일찍 일어난다.
My mom gets up early <u>on</u> the morning. → ________

10 가방 안에 책이 있다.
There is a book <u>on</u> the bag. → ________

□ **theater** 극장 □ **cell phone** 휴대전화(기) □ **get up** 일어나다 □ **early** 일찍

[1-3] 다음 중 우리말과 일치하도록 빈칸에 알맞은 전치사를 고르세요.

1

He lives ________ Canada.
그는 캐나다에 산다.

① at ② in ③ on
④ to ⑤ under

2

There is a coin ________ the chair.
의자 아래에 동전 하나가 있다.

① on ② next to ③ between
④ in ⑤ under

3

She eats lunch ________ noon.
그녀는 정오에 점심을 먹는다.

① on ② next to ③ at
④ in ⑤ between

4 다음 중 빈칸에 공통으로 들어갈 알맞은 것을 고르세요.

- It is hot ________ the summer.
- We go on a picnic ________ September.

① at ② on ③ in
④ next to ⑤ between

4.
go on a picnic 소풍 가다

정답 및 해설 p. 13

5 다음 중 밑줄 친 부분이 잘못된 것을 고르세요.

① We go swimming in the summer.
② They watch TV in the evening.
③ I visit my uncle in October.
④ I come home at 7 o'clock.
⑤ She doesn't drink coffee on night.

6 다음 보기의 단어를 이용하여 문장을 완성하세요.

on   at   next to

(1) I go to bed ______________ 9:30.
나는 9시 30분에 잔다.

(2) I play tennis ______________ Friday.
나는 금요일에 테니스를 친다.

(3) There is a bookstore ______________ the bakery.
제과점 옆에 서점이 있다.

(4) There is a clock ______________ the wall.
벽 위에 시계가 있다.

6.
bookstore 서점
clock 시계

7 다음 우리말과 일치하도록 빈칸에 알맞은 전치사를 쓰세요.

(1) 은행 앞에 → ______________ the bank

(2) 박물관 뒤에 → ______________ the museum

(3) 나무들 사이에 → ______________ the trees

다음 단어의 뜻을 쓰고, 단어를 더 써보세요.

01 April	4월	April	
02 August			
03 bank			
04 begin			
05 bookstore			
06 building			
07 clock			
08 curtain			
09 drugstore			
10 fall			
11 festival			
12 grass			
13 July			
14 lesson			
15 March			
16 May			
17 Monday			
18 movie			
19 night			
20 noon			
21 picnic			
22 Saturday			
23 September			
24 spoon			
25 spring			
26 summer			
27 table			
28 theater			
29 Tuesday			
30 winter			

실전모의고사

실전모의고사 1회

실전모의고사 2회

실전모의고사 3회

실전모의고사 1회

3점 25문항
5점 5문항

01 다음 중 셀 수 없는 명사가 아닌 것을 고르세요.

① milk ② water
③ book ④ sugar
⑤ money

02 다음 중 빈칸에 some이 올 수 있는 문장을 고르세요.

① I'm ________ student.
② She has ________ water.
③ He lives ________ Seoul.
④ I love ________ Tom.
⑤ Cathy is a ________ girl.

03 다음 중 밑줄 친 부분이 잘못된 것을 고르세요.

① She lives in Korea.
② She has two computers.
③ He has some cheese.
④ I like John.
⑤ She drinks some waters.

04 다음 중 빈칸에 들어갈 수 없는 것을 고르세요.

I have a ____________________.

① sister ② bag
③ money ④ boyfriend
⑤ dog

05 다음 중 밑줄 친 부분이 잘못된 것을 고르세요.

① I need some salt.
② I need the computer.
③ The moon shines at night.
④ I have the dinner at seven.
⑤ There are many stars in the sky.

06 다음 중 대화의 빈칸에 들어갈 알맞은 대답을 고르세요.

A Are these your pencils?
B Yes, ____________________.

① these are ② it is
③ this is ④ they are
⑤ that is

[07-08] 다음 중 잘못된 문장을 고르세요.

07 ① These are my books.
② That isn't my computer.
③ Those are zebras.
④ This is my cat.
⑤ These isn't fresh.

08 ① She doesn't eat the breakfast.
② That is his dog.
③ They swim in the sea.
④ Is this your coat?
⑤ These aren't my bags.

09 다음 중 빈칸에 들어갈 말이 바르게 짝지어진 것을 고르세요.

- ___(a)___ is a horse.
- Are ___(b)___ your books?

ⓐ ⓑ ⓐ ⓑ

① That – these ② This – that
③ That – that ④ These – these
⑤ Those – those

10 다음 중 밑줄 친 부분이 잘못된 것을 고르세요.

① There is some milk in the glass.
② There is some eggs on the plate.
③ There is a picture on the wall.
④ There is a red car on the road.
⑤ There is a sandwich on the plate.

11 다음 중 빈칸에 들어갈 수 있는 것을 고르세요.

There is ________ on the desk.

① two pencils ② some toys
③ many books ④ erasers
⑤ a computer

12 다음 중 동사의 -ing 형태가 잘못된 것을 고르세요.

① eat – eatting
② watch – watching
③ go – going
④ swim – swimming
⑤ buy – buying

13 다음 중 문장을 현재진행형으로 바르게 바꿔 쓴 것을 고르세요.

Tom hits a ball.

① Tom hitting a ball.
② Tom is hiting a ball.
③ Tom is hitting a ball.
④ Tom are hiting a ball.
⑤ Tom is being hit a ball.

14 다음 우리말을 영어로 옮긴 것 중 가장 알맞은 것을 고르세요.

그 학생들은 영어를 공부하고 있다.

① The students studying English.
② The students is studying English.
③ The students are study English.
④ The students are studying English.
⑤ The students being studying English.

15 다음 중 빈칸에 공통으로 들어갈 알맞은 것을 고르세요.

- I am ________ to school.
- She is ________ to work.

① drinking ② reading
③ going ④ working
⑤ listening

16 다음 중 밑줄 친 부분이 잘못된 것을 고르세요.

① I have many books.
② She doesn't have much money.
③ There are many cars on the street.
④ There is many water in the glass.
⑤ There are many students in the gym.

17 다음 중 부사가 아닌 것을 고르세요.

① happily ② fast
③ carefully ④ kind
⑤ early

18 다음 중 빈칸에 들어갈 알맞은 말을 고르세요.

Jane walks ________.

① happy ② loud
③ careful ④ kind
⑤ slowly

[19-20] 다음 중 밑줄 친 부분이 잘못된 것을 고르세요.

19 ① My friends was at the party.
② His parents were both teachers.
③ The man was strong.
④ The dog was very small.
⑤ I was busy yesterday.

20 ① He washed his hands.
② She lived in Korea.
③ I watched TV yesterday.
④ We learned English.
⑤ She drinked some milk.

21 다음 중 문장을 의문문으로 바꿀 때, 빈칸에 들어갈 알맞은 것을 고르세요.

They were tennis players.
→ ________ ________ tennis players?

① They were ② Are they
③ Were they ④ Did they
⑤ Was they

22 다음 중 동사의 과거형이 잘못된 것을 고르세요.

① run – ran ② meet – met
③ get – got ④ do – does
⑤ cut – cut

23 다음 중 밑줄 친 부분이 잘못된 것을 고르세요.

① Did you heard the news?
② Did he come back home?
③ Did you sleep in your room?
④ Did they play basketball?
⑤ Did Jane live in Canada?

24 다음 중 빈칸에 공통으로 들어갈 알맞은 것을 고르세요.

- The movies ________ interesting.
- His books ________ in his bag.

① wasn't ② isn't ③ didn't
④ weren't ⑤ was

25 다음 중 대화의 빈칸에 들어갈 알맞은 대답을 고르세요.

A Did you close the door?
B ________________

① Yes, I do. ② Yes, you did.
③ No, I wasn't. ④ No, you didn't.
⑤ Yes, I did.

5점
26 다음 중 빈칸에 공통으로 들어갈 알맞은 전치사를 쓰세요.

- There is a book ________ the table.
  식탁 위에 책이 있다.
- There is a map ________ the wall.
  벽 위에 지도가 있다.

→ ________________

5점
27 다음 문장을 부정문으로 바꿔 쓰세요.

(1) The boy is swimming in the pool.
→ ________________

(2) There is a picture on the desk.
→ ________________

(3) I watched TV last night.
→ ________________

5점
28 다음 중 빈칸에 공통으로 들어갈 알맞은 전치사를 쓰세요.

- Kevin lives ________ England.
- We go swimming ________ the summer.

→ ________________

5점
29 다음 문장을 과거형으로 바꿔 쓰세요.

(1) He stays at home.
→ ________________

(2) They study Chinese.
→ ________________

5점
30 다음 중 빈칸에 공통으로 들어갈 알맞은 것을 쓰세요.

- ________ sky is blue.
- I have a cat. ________ cat is black.

→ ________________

91-100 Excellent
81-90 Good
61-80 Not bad
60 이하 Try Again

실전모의고사 2회

3점 25문항
5점 5문항

01 다음 중 빈칸에 올 수 없는 것을 고르세요.

I have some ________.

① cheese ② cookies
③ bread ④ sandwiches
⑤ book

02 다음 중 빈칸에 관사 a가 올 수 있는 문장을 고르세요.

① I live in ________ Busan.
② Tom has ________ computer.
③ He has ________ five dogs.
④ I like ________ Bob.
⑤ She lives in ________ Korea.

03 다음 중 명사의 복수형이 잘못된 것을 고르세요.

① woman – women
② foot – feet
③ knife – knives
④ baby – babys
⑤ child – children

04 다음 중 대화의 빈칸에 들어갈 알맞은 대답을 고르세요.

A Is that a pencil?
B ____________________

① Yes, that is. ② Yes, it is.
③ No, this isn't. ④ Yes, this isn't.
⑤ No, these isn't.

05 다음 중 빈칸에 들어갈 알맞은 것을 고르세요.

I have a scarf. ________ scarf is yellow.

① A ② An ③ This
④ That ⑤ The

06 다음 중 밑줄 친 부분이 잘못된 것을 고르세요.

① She lives in Seoul.
② These are my dogs.
③ They swim in the sea.
④ Are these your coins?
⑤ That aren't my glasses.

07 다음 중 빈칸에 들어갈 말이 다른 것을 고르세요.

① There ______ a bed in the room.
② There ______ some milk in the cup.
③ There ______ trees in the park.
④ There ______ a girl in the classroom.
⑤ There ______ a plate on the table.

08 다음 중 빈칸에 들어갈 수 없는 것을 고르세요.

There are ________ in my room.

① chairs ② some toys
③ some cheese ④ two boys
⑤ some books

09 다음 중 대화의 빈칸에 들어갈 알맞은 대답을 고르세요.

> A Is there a museum in your town?
> B No, ____________.

① there isn't ② there is
③ there are ④ there aren't
⑤ it isn't

10 다음 중 밑줄 친 부분이 잘못된 것을 고르세요.

① Is there a ruler on the desk?
② Is there some apples in the basket?
③ Are there any towels in the bathroom?
④ Are there any trees in the garden?
⑤ Are there any cars in the parking lot?

11 다음 우리말을 영어로 옮긴 것 중 가장 알맞은 것을 고르세요.

> 그녀는 지금 방을 청소하고 있지 않다.

① She is not clean the room now.
② She not cleaning the room now.
③ She is not cleaning the room now.
④ She not is cleaning the room now.
⑤ She is cleaning not the room now.

12 다음 중 동사의 -ing 형태가 잘못된 것을 고르세요.

① make – making ② hit – hitting
③ run – runing ④ stay – staying
⑤ walk – walking

13 다음 중 대화의 빈칸에 들어갈 알맞은 대답을 고르세요.

> A Are your friends singing?
> B No, ____________.

① there isn't ② there aren't
③ it isn't ④ he isn't
⑤ they aren't

14 다음 중 문장을 현재진행형으로 바르게 바꿔 쓴 것을 고르세요.

> Sarah sits on the sofa.

① Sarah sitting on the sofa.
② Sarah is siting on the sofa.
③ Sarah are sitting on the sofa.
④ Sarah is sitting on the sofa.
⑤ Sarah was sitting on the sofa.

15 다음 중 밑줄 친 부분이 잘못된 것을 고르세요.

① I'm reading a book.
② Sam is taking a shower.
③ Is she sleeping on the sofa?
④ Are they walking to school?
⑤ Are your brother singing on stage?

16 다음 중 우리말과 일치하도록 빈칸에 들어갈 알맞은 것을 고르세요.

> I don't have ________ money.
> 나는 돈이 많지 않다.

① the ② some ③ many
④ much ⑤ any

17 다음 중 밑줄 친 단어 대신 쓸 수 있는 것을 고르세요.

> There are <u>many</u> students in the gym.

① the ② some
③ any ④ much
⑤ a lot of

18 다음 중 형용사와 부사의 연결이 <u>잘못된</u> 것을 고르세요.

① slow – slowly ② loud – loudly
③ easy – easily ④ fast – fastly
⑤ quick – quickly

19 다음 중 우리말과 일치하도록 빈칸에 들어갈 알맞은 것을 고르세요.

> She drives very ________.
> 그녀는 매우 조심스럽게 운전한다.

① carefully ② happily
③ easily ④ slowly
⑤ quickly

20 다음 중 밑줄 친 단어의 쓰임이 <u>다른</u> 것을 고르세요.

① James gets up <u>early</u>.
② The girl smiles <u>happily</u>.
③ Jack eats <u>slowly</u>.
④ The flowers grow <u>quickly</u>.
⑤ I have a <u>fast</u> horse.

5점
21 다음 중 빈칸에 들어갈 말이 차례대로 짝지어진 것을 고르세요.

> • The game starts ________ 5 o'clock.
> • I don't go to the library ________ Sunday.

① at – in ② in – at
③ in – on ④ at – on
⑤ at – at

22 다음 중 동사의 과거형이 <u>잘못된</u> 것을 고르세요.

① work – work<u>ed</u>
② live – live<u>d</u>
③ call – call<u>ed</u>
④ study – stud<u>ied</u>
⑤ worry – worr<u>yed</u>

23 다음 중 빈칸에 공통으로 들어갈 알맞은 것을 고르세요.

> • They ________ at home yesterday.
> • The boys ________ in the library.

① isn't ② aren't
③ are ④ were
⑤ was

24 다음 중 밑줄 친 부분이 잘못된 것을 고르세요.

① I eat pizza last night.
② They came back early.
③ We learned English.
④ She slept in her bed.
⑤ I went shopping yesterday.

25 다음 중 우리말과 일치하도록 빈칸에 들어갈 알맞은 것을 고르세요.

There is a cat ________ the table.
식탁 밑에 고양이가 있다.

① on ② under
③ in ④ at
⑤ next to

26 다음 중 대화의 빈칸에 알맞은 대답을 고르세요.

A Did you open the window?
B ________________

① No, I wasn't. ② Yes, you did.
③ Yes, I did. ④ No, you didn't.
⑤ Yes, I do.

5점
27 다음 문장을 의문문으로 바꿔 쓰세요.

(1) She wrote a letter to her mom.
→ ________________________

(2) He is drinking milk.
→ ________________________

5점
28 다음 우리말과 일치하도록 빈칸에 many나 much를 쓰세요.

(1) There are ________ tables in the restaurant. 식당에 많은 식탁들이 있다.

(2) I don't have ________ money now.
니는 지금 많은 돈이 없다.

5점
29 다음 우리말과 일치하도록 주어진 단어를 이용하여 문장을 완성하세요.

(1) 그는 책을 읽고 있다. (read)
→ He ________ ________ a book.

(2) 그녀는 지금 소파에 앉아 있다. (sit)
→ She ________ ________ on the sofa now.

5점
30 다음 우리말과 일치하도록 빈칸에 알맞은 말을 쓰세요.

(1) 하늘에 무지개가 있다.
→ ________ ________ a rainbow in the sky.

(2) 그릇에 쿠키들이 조금 있다.
→ ________ ________ some cookies in the bowl.

91-100 Excellent
81-90 Good
61-80 Not bad
60 이하 Try Again

실전모의고사 3회

3점 25문항
5점 5문항

01 다음 중 셀 수 있는 명사가 아닌 것을 고르세요.

① child ② woman ③ water
④ man ⑤ foot

[02-03] 다음 중 우리말과 일치하도록 빈칸에 들어갈 말이 바르게 짝지어진 것을 고르세요.

02

- ___(a)___ is my dog.
  이것은 나의 개다.
- Are ___(b)___ your dogs?
  저것들이 당신의 개인가요?

	ⓐ		ⓑ
①	That	–	this
②	This	–	that
③	That	–	that
④	this	–	these
⑤	This	–	those

03

I have ___(a)___ cat. ___(b)___ cat is black.
나는 고양이가 있다. 그 고양이는 검은색이다.

	ⓐ		ⓑ
①	a	–	A
②	a	–	The
③	the	–	That
④	the	–	The
⑤	the	–	Some

04 다음 밑줄 친 부분이 잘못된 것을 고르세요.

① I don't eat lunch.
② There is a bird in the sky.
③ I have some cheeses.
④ These aren't my books.
⑤ Those are horses.

05 다음 우리말을 영어로 옮긴 것 중 가장 알맞은 것을 고르세요.

저것들은 악어들이 아니다.

① This isn't an alligator.
② That isn't an alligator.
③ These aren't an alligator.
④ Those aren't an alligator.
⑤ Those aren't alligators.

06 다음 중 밑줄 친 부분이 올바른 것을 고르세요.

① That are his pants.
② Are this a turtle?
③ That are my shoes.
④ These isn't her dolls.
⑤ That is a spider.

07 다음 중 빈칸에 들어갈 수 없는 것을 고르세요.

Are there ________ in the restaurant?

① your sister ② children
③ many people ④ his parents
⑤ your friends

08 다음 중 빈칸에 isn't가 들어갈 수 없는 것을 고르세요.

① There ________ Tom in this room.
② There ________ any milk in the glass.
③ There ________ flowers in the vase.
④ There ________ a koala in the zoo.
⑤ There ________ a book on the table.

[09-10] 다음 중 대화의 빈칸에 들어갈 알맞은 대답을 고르세요.

09

A Are there any girls in the classroom?

B Yes, ____________.

① they are　② there is
③ there are　④ they aren't
⑤ there isn't

10

A Are the boys going to school?

B No, ____________.

① he is　② there is
③ there are　④ they aren't
⑤ there isn't

11 다음 우리말을 영어로 옮긴 것 중 가장 알맞은 것을 고르세요.

그 소년은 천천히 달리고 있다.

① The boy running slowly.
② The boy runs slowly.
③ The boy is running slow.
④ The boy is run slowly.
⑤ The boy is running slowly.

12 다음 중 빈칸에 올 수 없는 단어를 고르세요.

Jane has a ________ dog.

① fast　② smart
③ small　④ black
⑤ slowly

13 다음 중 밑줄 친 부분이 잘못된 것을 고르세요.

① I like your yellow shirt.
② I don't have much money.
③ James is a smart student.
④ He has a red balloon.
⑤ She has hair long.

14 다음 중 우리말과 일치하도록 빈칸에 들어갈 알맞은 것을 고르세요.

They get up ________.
그들은 일찍 일어난다.

① late　② early
③ fast　④ pretty
⑤ kindly

15 다음 중 빈칸에 공통으로 들어갈 알맞은 것을 고르세요.

• Are there ________ books in the library?
• She has ________ money.

① many　② much
③ very　④ a lot of
⑤ pretty

16 다음 중 밑줄 친 부분이 잘못된 것을 고르세요.

① The girl sings beautifully.
② The boy speaks quickly.
③ They are kindly students.
④ The children walk slowly.
⑤ The cat is running fast.

17 다음 중 문장을 의문문으로 바꿀 때, 빈칸에 들어갈 알맞은 것을 고르세요.

> They were actors.
> → ________ ________ actors?

① Is they　② Are they
③ Were they　④ Did they
⑤ Was they

18 다음 중 빈칸에 공통으로 들어갈 알맞은 것을 고르세요.

> • The pizza ________ delicious.
> • His father ________ busy yesterday.

① was　② isn't
③ didn't　④ weren't
⑤ were

19 다음 중 밑줄 친 부분이 잘못된 것을 고르세요.

① I ran to school.
② I arrived at 10.
③ My teacher was angry.
④ I getted up late today.
⑤ I drank some water.

20 다음 중 동사의 과거형이 잘못된 것을 고르세요.

① speak – spoke
② visit – visited
③ run – run
④ cut – cut
⑤ build – built

21 다음 중 밑줄 친 부분이 잘못된 것을 고르세요.

① I don't know her name.
② They didn't come back home.
③ We don't study English.
④ She didn't sleep on the bed.
⑤ I didn't went shopping yesterday.

22 다음 중 문장을 부정문으로 바르게 바꿔 쓴 것을 고르세요.

> Mike drove to work.

① Mike isn't drive to work.
② Mike don't drive to work.
③ Mike doesn't drive to work.
④ Mike didn't drive to work.
⑤ Mike wasn't drive to work.

23 다음 중 빈칸에 들어갈 말이 바르게 짝지어진 것을 고르세요.

> • We ___(a)___ the house last year.
> 우리가 지난해 그 집을 지었다.
> • He ___(b)___ some cookies.
> 그는 쿠키를 좀 만들었다.

	ⓐ		ⓑ
①	build	–	make
②	build	–	made
③	built	–	made
④	building	–	make
⑤	build	–	making

24 다음 중 우리말과 일치하도록 빈칸에 들어갈 알맞은 것을 고르세요.

> There is a bench ________ the trees.
> 나무들 사이에 벤치가 있다.

① behind ② on
③ next to ④ in front of
⑤ between

25 다음 중 빈칸에 공통으로 들어갈 알맞은 것을 고르세요.

> • We have a big festival ________ September.
> • My mother gets up early ________ the morning.

① at ② on ③ in
④ for ⑤ under

5점
26 다음 문장을 의문문으로 바꿔 쓰세요.

(1) Your brothers are cutting the tree.

→ ________________________

(2) They went to the zoo.

→ ________________________

5점
27 다음 빈칸에 공통으로 들어갈 알맞은 것을 쓰세요.

> • ________ you get up late yesterday?
> • ________ he visit his uncle?

→ ____________

5점
28 다음 빈칸에 알맞은 관사를 써서 문장을 완성하세요.

> I know ________ boy. ________ boy is very smart.
> 나는 한 소년을 알고 있다. 그 소년은 매우 영리하다.

→ ____________, ____________

5점
29 다음 밑줄 친 부분을 바르게 고쳐 쓰세요.

(1) He doesn't play soccer yesterday.

→ ________________

(2) There are some book on the desk.

→ ________________

5점
30 다음 우리말과 일치하도록 주어진 단어를 배열하여 문장을 완성하세요.

> 나는 노란 가방을 원한다.
> (I, bag, yellow, a, want)

→ ________________________

91-100 Excellent
81-90 Good
61-80 Not bad
60 이하 Try Again

memo

memo

memo

Longman

GRAMMAR MENTOR JOY

WORK BOOK

EARLY START 2

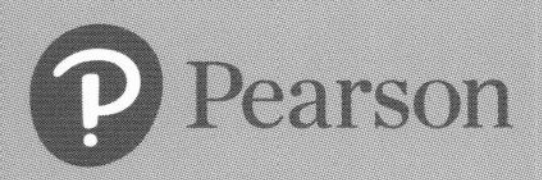

Longman

GRAMMAR MENTOR JOY

WORK BOOK

EARLY START 2

CHAPTER 1

1 다음 명사의 복수형을 쓰세요.

	명사	복수형		명사	복수형
01	ant 개미	ants	02	egg 달걀	
03	bag 가방		04	lily 백합(꽃)	
05	bus 버스		06	fox 여우	
07	glass 유리잔		08	baby 아기	
09	lady 숙녀		10	wolf 늑대	
11	wife 아내		12	man 남자	
13	foot 발		14	frog 개구리	
15	bird 새		16	ball 공	
17	dish 접시		18	bench 벤치	
19	woman 여자		20	tooth 이(빨)	
21	knife 칼		22	party 파티	
23	dress 드레스		24	goose 거위	

2 다음 괄호 안에서 알맞은 것을 고르세요.

01 He has two (hat / hats / hates).
그는 모자 두 개를 가지고 있다.

02 The farmer keeps six (pig / pigs / piges).
그 농부는 돼지 여섯 마리를 기른다.

03 We need four (box / boxs / boxes).
우리는 상자 네 개가 필요하다.

04 Look at the (leaf / leafs / leaves).
그 나뭇잎들을 보아라.

05 The (child / childes / children) are in the garden.
그 아이들은 정원에 있다.

06 Three (lily / lilyes / lilies) are in the vase.
백합 세 송이가 꽃병에 있다.

07 The zoo has three (bear / bears / beares).
그 동물원에는 곰 세 마리가 있다.

08 Put the (cherry / cherryes / cherries) in the basket.
그 체리들을 바구니에 담아라.

09 The village has two (library / libraries / librarves).
그 마을에는 도서관이 두 개 있다.

10 The (thief / thieves / thiefes) are tall.
그 도둑들은 키가 크다.

CHAPTER 1

1 다음 중 셀 수 없는 명사에 ✔표 하세요.

01	____ pen 펜	✔ milk 우유	____ apple 사과
02	____ Tom 톰	____ boy 소년	____ student 학생
03	____ city 도시	____ Seoul 서울	____ room 방
04	____ table 탁자	____ rabbit 토끼	____ cheese 치즈
05	____ jam 잼	____ cup 컵	____ doll 인형
06	____ nurse 간호사	____ water 물	____ koala 코알라
07	____ soup 수프	____ eraser 지우개	____ shirt 셔츠
08	____ sofa 소파	____ bread 빵	____ book 책
09	____ kite 연	____ rice 쌀	____ potato 감자
10	____ salt 소금	____ ruler 자	____ flower 꽃
11	____ coat 코트	____ Korea 한국	____ window 창문
12	____ pencil 연필	____ homework 숙제	____ train 기차

2 다음 괄호 안에서 알맞은 것을 고르세요. (모두 필요 없으면 ×에 ○표 하세요.)

01 She has (a / an / some) iguana.
그녀는 이구아나가 있다.

02 I have (a / an / some) chocolate.
나는 초콜릿이 조금 있다.

03 It is (a / an / some) kangaroo.
그것은 캥거루다.

04 I am (a / an / X) Kate Baker.
나는 케이트 베이커다.

05 They need (a / an / some) sugar.
그들은 설탕이 조금 필요하다.

06 She is from (a / an / X) England.
그녀는 영국 출신이다.

07 He eats (a / an / some) meat every day.
그는 매일 고기를 조금 먹는다.

08 I have (a / an / some) books in my bag.
나의 가방에는 책들이 조금 있다.

09 She meets (a / an / X) Tom every Saturday.
그녀는 톰을 매주 토요일에 만난다.

10 We visit (a / an / X) Busan every summer.
우리는 여름마다 부산을 방문한다.

REview TEST

1 다음 괄호 안에서 알맞은 것을 고르세요. (필요 없으면 X에 ○표 하세요.)

01 (an / some) orange 오렌지 한 개

02 (an / some) eggs 몇 개의 달걀들

03 (a / some) water 물 조금

04 five (book / books) 다섯 권의 책들

05 some (fox / foxes) 몇몇 여우들

06 three (man / men) 세 명의 남자들

07 some (bread / breads) 빵 조금

08 (a / some) sugar 설탕 조금

09 two (child / children) 두 명의 아이들

10 (a / X) peace 평화

11 some (rice / rices) 쌀 조금

12 (an / X) homework 숙제

2 다음 우리말과 일치하도록 밑줄 친 부분을 바르게 고쳐 쓰세요.

01 Frog are small. → Frogs
개구리들은 작다.

02 Cherry are red. → ________
체리들은 빨갛다.

03 They are knife. → ________
그것들은 칼들이다.

04 The two lady are kind. → ________
그 두 명의 숙녀들은 친절하다.

05 I drink some milks every day. → ________
나는 매일 우유를 조금 마신다.

06 She has some book. → ________
그녀는 책들이 조금 있다.

07 I need a money. → ________
나는 돈이 조금 필요하다.

08 Let's buy some meats. → ________
고기를 조금 사자.

09 My name is a John. → ________
내 이름은 존이다.

10 He lives in a Seoul. → ________
그는 서울에서 산다.

Vocabulary TEST

	단어	뜻
01	buy	사다
02	cherry	체리
03	chocolate	초콜릿
04	city	도시
05	eraser	지우개
06	farmer	농부
07	frog	개구리
08	garden	정원
09	goose	거위
10	iguana	이구아나
11	jam	잼
12	kangaroo	캥거루
13	koala	코알라
14	Korea	한국
15	library	도서관

	단어	뜻
16	lily	백합(꽃)
17	meat	고기
18	nurse	간호사
19	orange	오렌지
20	peace	평화
21	potato	감자
22	rabbit	토끼
23	ruler	자
24	soup	수프
25	student	학생
26	train	기차
27	vase	꽃병
28	village	마을
29	visit	방문하다
30	window	창문

1 다음 우리말 뜻에 해당하는 영어 단어를 쓰세요.

01 잼 ➡ jam

02 개구리 ➡ ________

03 고기 ➡ ________

04 도시 ➡ ________

05 꽃병 ➡ ________

06 수프 ➡ ________

07 백합(꽃) ➡ ________

08 사다 ➡ ________

09 기차 ➡ ________

10 간호사 ➡ ________

11 코알라 ➡ ________

12 체리 ➡ ________

13 오렌지 ➡ ________

14 방문하다 ➡ ________

15 자 ➡ ________

16 토끼 ➡ ________

2 다음 영어 단어에 해당하는 우리말 뜻을 쓰세요.

01 eraser ➡ 지우개

02 Korea ➡ ________

03 goose ➡ ________

04 window ➡ ________

05 garden ➡ ________

06 farmer ➡ ________

07 iguana ➡ ________

08 potato ➡ ________

09 village ➡ ________

10 library ➡ ________

11 kangaroo ➡ ________

12 chocolate ➡ ________

13 student ➡ ________

14 peace ➡ ________

CHAPTER 2

1

다음 우리말과 일치하도록 알맞은 관사를 고르세요. (필요 없으면 ×에 ○표 하세요.)

01 (a / an / X) boy 소년 한 명

02 (a / an / the) sugar 그 설탕

03 (a / an / the) students 그 학생들

04 (a / an / X) flowers 꽃들

05 (a / the / X) sun 태양

06 (a / the / X) lunch 점심식사

07 (a / an / X) eagle 독수리 한 마리

08 (a / the / X) sea 바다

09 (a / an / the) butter 그 버터

10 (a / the / X) Susan 수잔

11 (a / an / X) England 영국

12 (a / an / the) sky 하늘

2 다음 우리말과 일치하도록 빈칸에 알맞은 관사를 쓰세요. (필요 없으면 ×표 하세요.)

01 It is ___a___ koala. ___The___ koala is lovely.
그것은 코알라다. 그 코알라는 사랑스럽다.

02 He has ________ bike. ________ bike is old.
그는 자전거를 가지고 있다. 그 자전거는 오래됐다.

03 She meets ________ man. ________ man is a banker.
그녀는 한 남자를 만난다. 그 남자는 은행원이다.

04 My name is ________ Cathy. I am ________ student.
내 이름은 캐시다. 나는 학생이다.

05 Look at ________ sky. ________ moon is bright.
하늘을 보아라. 달이 밝다.

06 They are ________ balloons. ________ balloons are colorful.
그것들은 풍선들이다. 그 풍선들은 알록달록하다.

07 He has ________ globe. ________ globe is in his room.
그는 지구본을 가지고 있다. 그 지구본은 그의 방에 있다.

08 She has ________ bag. ________ bag is expensive.
그녀는 가방을 가지고 있다. 그 가방은 비싸다.

09 It is ________ butter. ________ butter is fresh.
그것은 버터다. 그 버터는 신선하다.

10 I eat ________ breakfast but I skip ________ dinner.
나는 아침식사는 먹지만 저녁식사는 거른다.

CHAPTER 2

1 다음 그림을 보고 알맞은 것에 동그라미 한 후, 맞는 구문을 선으로 연결하세요.

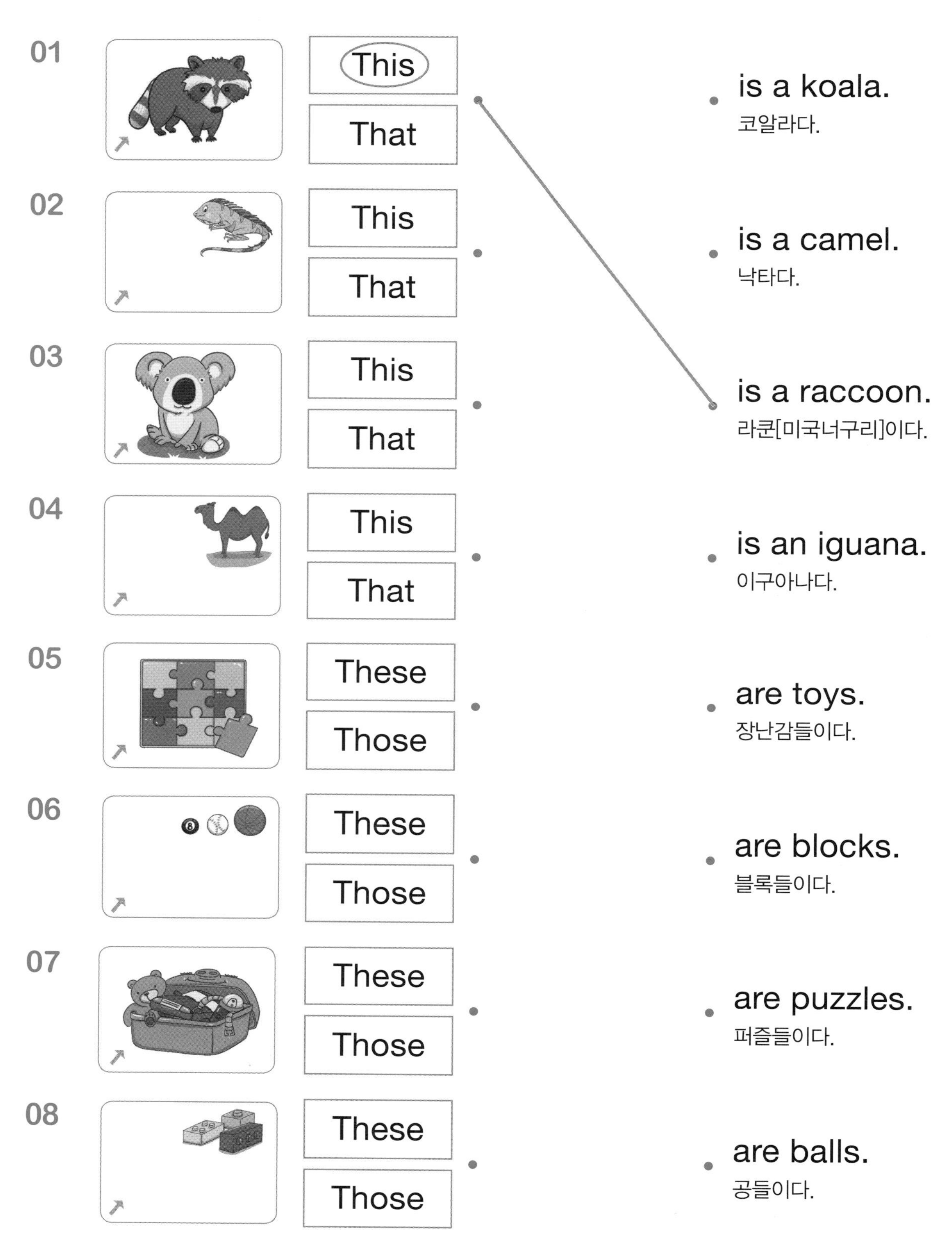

2 다음 우리말과 일치하도록 괄호 안에서 알맞은 것을 고르세요.

01 (This / That / These / Those) are pictures.
이것들은 그림들이다.

02 (This / That / These / Those) are umbrellas.
저것들은 우산들이다.

03 This (is / isn't / are / aren't) a flower.
이것은 꽃이 아니다.

04 These (is / isn't / are / aren't) butterflies.
이것들은 나비들이 아니다.

05 That (is / isn't / are / aren't) a trumpet.
저것은 트럼펫이 아니다.

06 Those (is / isn't / are / aren't) robots.
저것들은 로봇들이 아니다.

07 Is (this / that / these / those) a sofa?
이것은 소파인가요?

08 Is (this / that / these / those) an apron?
저것은 앞치마인가요?

09 Are (this / that / these / those) pencils?
이것들은 연필들인가요?

10 Are (this / that / these / those) cookies?
저것들은 과자들인가요?

REview TEST

1 다음 빈칸에 알맞은 것을 보기에서 찾아 쓰세요. (필요 없으면 ×표 하세요.)

X	a	an	the

01 I have ____a____ backpack.
나는 배낭을 가지고 있다.

02 Can you open ________ door?
당신은 그 문을 열 수 있나요?

03 Water ________ plant, please.
그 식물에 물을 주세요.

04 Jim always eats ________ breakfast.
짐은 항상 아침식사를 먹는다.

05 Look at ________ moon.
달을 보아라.

06 I eat a hamburger for ________ lunch.
나는 점심식사로 햄버거를 먹는다.

07 You can see ________ iguana.
여러분은 이구아나를 볼 수 있다.

08 Whales live in ________ sea.
고래들은 바다에서 산다.

09 Birds can fly in ________ sky.
새들은 하늘을 날 수 있다.

10 I cook ________ dinner.
나는 저녁식사를 요리한다.

2 다음 우리말과 일치하도록 밑줄 친 부분을 바르게 고쳐 쓰세요.

01 This is a worm. → That
저것은 벌레다.

02 Those are roses. → ______
이것들은 장미들이다.

03 Are that strawberries? → ______
저것들은 딸기들인가요?

04 Is these a lemon? → ______
이것은 레몬인가요?

05 That aren't his house. → ______
저것은 그의 집이 아니다.

06 These isn't notebooks. → ______
이것들은 공책들이 아니다.

07 Are that a raccoon? → ______
저것은 라쿤[미국너구리]인가요?

08 Is these spiders? → ______
이것들은 거미들인가요?

09 Those isn't a pencil. → ______
이것은 연필이 아니다.

10 These is my doll. → ______
저것은 나의 인형이다.

Vocabulary TEST

	단어	뜻
01	apron	앞치마
02	ball	공
03	banker	은행원
04	block	(장난감) 블록
05	butterfly	나비
06	camel	낙타
07	colorful	알록달록한
08	door	문
09	eagle	독수리
10	expensive	값비싼
11	fly	날다
12	fresh	신선한
13	globe	지구본
14	hamburger	햄버거
15	lemon	레몬

	단어	뜻
16	lovely	사랑스러운
17	moon	달
18	name	이름
19	old	오래된
20	picture	그림
21	plant	식물
22	puzzle	퍼즐
23	raccoon	라쿤(미국너구리)
24	rose	장미
25	skip	(식사를) 거르다
26	strawberry	딸기
27	toy	장난감
28	trumpet	트럼펫
29	whale	고래
30	worm	벌레

1 다음 우리말 뜻에 해당하는 영어 단어를 쓰세요.

01 날다 ➡ fly

02 장난감 ➡ ______

03 공 ➡ ______

04 문 ➡ ______

05 오래된 ➡ ______

06 이름 ➡ ______

07 장미 ➡ ______

08 레몬 ➡ ______

09 낙타 ➡ ______

10 은행원 ➡ ______

11 독수리 ➡ ______

12 벌레 ➡ ______

13 고래 ➡ ______

14 식물 ➡ ______

15 (식사를) 거르다 ➡ ______

16 (장난감) 블록 ➡ ______

2 다음 영어 단어에 해당하는 우리말 뜻을 쓰세요.

01 moon ➡ 달

02 apron ➡ ______

03 globe ➡ ______

04 lovely ➡ ______

05 trumpet ➡ ______

06 fresh ➡ ______

07 hamburger ➡ ______

08 puzzle ➡ ______

09 colorful ➡ ______

10 picture ➡ ______

11 strawberry ➡ ______

12 butterfly ➡ ______

13 raccoon ➡ ______

14 expensive ➡ ______

CHAPTER 3

1 다음 괄호 안에서 알맞은 것을 고르세요.

01 (There is / There are) a koala in the tree.
나무에 코알라가 한 마리 있다.

02 (There is / There are) pens on the desk.
책상 위에 펜들이 있다.

03 (There is / There are) an ox on the farm.
농장에 황소가 한 마리 있다.

04 (There is / There are) two kites in the sky.
하늘에 연이 두 개 있다.

05 (There is / There are) three birds in the cage.
새장에 새가 세 마리 있다.

06 (There is / There are) a shirt on the bed.
침대 위에 셔츠가 한 개 있다.

07 (There is / There are) some girls in the garden.
정원에 소녀들이 몇 명 있다.

08 (There is / There are) some honey in the jar.
단지에 꿀이 조금 있다.

09 (There is / There are) some tea in the mug.
머그잔에 차가 조금 있다.

10 (There is / There are) some lilies in the vase.
꽃병에 백합이 몇 송이 있다.

2 다음 빈칸에 알맞은 단어를 보기에서 찾아 쓰세요.

is	are	there

01 There ______ are ______ bears in the zoo.
동물원에 곰들이 있다.

02 ______ ______ a closet in the room.
방에 옷장이 있다.

03 ______ ______ benches in the park.
공원에 벤치들이 있다.

04 ______ ______ some cheese in the fridge.
냉장고에 치즈가 조금 있다.

05 ______ ______ a goldfish in the tank.
수조에 금붕어가 있다.

06 ______ ______ some water in the glass.
유리잔에 물이 조금 있다.

07 ______ ______ a picture on the easel.
이젤 위에 그림이 있다.

08 ______ ______ three buses on the road.
도로에 버스가 세 대 있다.

09 ______ ______ some snakes in the hole.
구덩이에 뱀이 몇 마리 있다.

10 ______ ______ some snow on the street.
거리에 눈이 조금 있다.

CHAPTER 3

1 다음 우리말과 일치하도록 괄호 안에서 알맞은 것을 고르세요.

01 There (is / isn't) a book on the desk.
책상 위에 책이 없다.

02 There (are / aren't) any students in the school.
학교에 학생들이 하나도 없다.

03 There (isn't / aren't) a ruler in the pencil case.
필통에 자가 없다.

04 There (isn't / aren't) any flowers in the vase.
꽃병에 꽃들이 하나도 없다.

05 There (isn't / aren't) any salt in the bowl.
그릇에 소금이 조금도 없다.

06 There (isn't / aren't) any cookies in the box.
상자에 과자들이 하나도 없다.

07 (Is / Are) there any stars in the sky?
하늘에 별들이 있나요?

08 (Is / Are) there any coins in your purse?
당신의 지갑에 동전들이 있나요?

09 (Is / Are) there a raccoon in the cage?
우리에 라쿤이 있나요?

10 (Is / Are) there any milk in the fridge?
냉장고에 우유가 있나요?

2 다음 문장을 지시대로 바꿔 쓸 때, 빈칸에 알맞은 말을 쓰세요.

01 There are some frogs in the pond. 연못에 개구리들이 몇 마리 있다.
→ **부정문** There aren't any frogs in the pond.

02 There is a museum in the village. 마을에는 박물관이 있다.
→ **의문문** ________ ________ a museum in the village?

03 There are some peanuts on the plate. 접시 위에 땅콩들이 조금 있다.
→ **부정문** ________ ________ any peanuts on the plate.

04 There is some chocolate in the box. 상자에 초콜릿이 조금 있다.
→ **의문문** ________ ________ any chocolate in the box?

05 There are some children outside. 밖에 아이들이 몇 명 있다.
→ **부정문** ________ ________ any children outside.

06 There is a bookcase in your room. 네 방에 책장이 있다.
→ **의문문** ________ ________ a bookcase in your room?

07 There is some rice in the bowl. 그릇에 쌀이 조금 있다.
→ **부정문** ________ ________ any rice in the bowl.

08 There is a park in the city. 도시에 공원이 있다.
→ **의문문** ________ ________ a park in the city?

09 There are pots in the cupboard. 찬장에 냄비들이 있다.
→ **의문문** ________ ________ any pots in the cupboard?

10 There is some water in the bucket. 양동이에 물이 조금 있다.
→ **부정문** ________ ________ any water in the bucket.

REview TEST

1 다음 우리말과 일치하도록 빈칸에 알맞은 단어를 보기에서 찾아 쓰세요.

is	are	isn't	aren't

01 ___Is___ there a theater in the town?
마을에 극장이 있나요?

02 There ________ hens on the farm.
농장에 암탉들이 있다.

03 There ________ any water in the bottle.
병에 물이 조금도 없다.

04 There ________ any clouds in the sky.
하늘에 구름들이 하나도 없다.

05 ________ there any biscuits in the box?
상자에 비스킷들이 있나요?

06 ________ there any cheese on the shelf?
선반에 치즈가 있나요?

07 There ________ some juice in the bottle.
병에 주스가 조금 있다.

08 There ________ any peaches on the tray.
쟁반에 복숭아들이 하나도 없다.

09 There ________ three rhinos in the zoo.
동물원에 세 마리의 코뿔소들이 있다.

10 There ________ any milk in the fridge.
냉장고에 우유가 조금도 없다.

2 다음 우리말과 일치하도록 단어를 바르게 배열하여 문장을 완성하세요.

01 새장에 앵무새가 있나요? (Is / a parrot / there)

➡ Is there a parrot __________ in the cage?

02 학교에 수영장이 있다. (a swimming pool / is / There)

➡ ______________________ in the school.

03 도서관에 컴퓨터들이 하나도 없다. (There / any / aren't / computers)

➡ ______________________ in the library.

04 냉장고에 고기가 있나요? (meat / any / there / Is)

➡ ______________________ in the fridge?

05 그 마을에는 은행이 없다. (a bank / There / isn't)

➡ ______________________ in the town.

06 지갑에 동전들이 몇 개 있다. (coins / There / some / are)

➡ ______________________ in the purse.

07 냄비에 수프가 조금도 없다. (There / soup / isn't / any)

➡ ______________________ in the pot.

08 탁자 아래에 만화책들이 있나요? (Are / any / comic books / there)

➡ ______________________ under the table?

09 그녀의 방에 옷장이 있나요? (a closet / there / Is)

➡ ______________________ in her room?

10 그 도시에는 공항이 없다. (There / an airport / isn't)

➡ ______________________ in the city.

Vocabulary TEST

	단어	뜻
01	airport	공항
02	bank	은행
03	biscuit	(과자) 비스킷
04	bookcase	책장
05	bottle	병
06	bucket	양동이
07	cheese	치즈
08	closet	옷장
09	coin	동전
10	cupboard	찬장
11	fridge	냉장고
12	goldfish	금붕어
13	hole	구덩이
14	jar	단지
15	kite	연

	단어	뜻
16	milk	우유
17	mug	머그잔
18	museum	박물관
19	outside	밖에
20	parrot	앵무새
21	peanut	땅콩
22	plate	접시
23	pot	냄비
24	purse	지갑
25	rhino	코뿔소
26	shelf	선반
27	snow	눈
28	street	거리
29	tank	수조, 어항
30	theater	극장

1 다음 우리말 뜻에 해당하는 영어 단어를 쓰세요.

01 머그잔 → mug
02 냄비 → ________
03 단지 → ________
04 우유 → ________
05 은행 → ________
06 연 → ________
07 동전 → ________
08 눈 → ________
09 수조, 어항 → ________
10 구덩이 → ________
11 치즈 → ________
12 접시 → ________
13 거리 → ________
14 코뿔소 → ________
15 병 → ________
16 지갑 → ________

2 다음 영어 단어에 해당하는 우리말 뜻을 쓰세요.

01 shelf → 선반
02 closet → ________
03 fridge → ________
04 parrot → ________
05 bucket → ________
06 museum → ________
07 airport → ________
08 theater → ________
09 biscuit → ________
10 peanut → ________
11 cupboard → ________
12 bookcase → ________
13 outside → ________
14 goldfish → ________

CHAPTER 4

1 다음 동사의 -ing 형태를 쓰세요.

	동사	-ing형		동사	-ing형
01	go 가다	going	02	do 하다	
03	sing 노래하다		04	buy 사다	
05	cook 요리하다		06	play 놀다	
07	sit 앉다		08	run 달리다	
09	walk 걷다		10	watch 보다	
11	drive 운전하다		12	listen 듣다	
13	hit 치다		14	swim 수영하다	
15	dance 춤추다		16	live 살다	
17	ride 타다		18	climb 오르다	
19	make 만들다		20	talk 말하다	
21	fly 날다		22	study 공부하다	
23	stop 멈추다		24	change 바꾸다	

2 다음 주어진 동사를 이용해서 현재진행형 문장을 완성하세요.

01 I ____am____ ____reading____ a magazine. (read)
나는 잡지를 읽고 있다.

02 She ________ ________ a sandwich. (eat)
그녀는 샌드위치를 먹고 있다.

03 Judy ________ ________ lunch. (have)
주디는 점심식사를 하고 있다.

04 We ________ ________ a bookcase. (move)
우리는 책장을 옮기고 있다.

05 I ________ ________ the plant. (water)
나는 식물에 물을 주고 있다.

06 They ________ ________ the leaves. (sweep)
그들은 나뭇잎들을 쓸고 있다.

07 He ________ ________ a grey hat. (wear)
그는 회색 모자를 쓰고 있다.

08 I ________ ________ an email. (send)
나는 이메일을 보내고 있다.

09 She ________ ________ tea. (drink)
그녀는 차를 마시고 있다.

10 They ________ ________ the wall. (paint)
그들은 벽을 페인트칠하고 있다.

CHAPTER 4

1 다음 우리말과 일치하도록 단어를 바르게 배열하여 문장을 완성하세요.

01 나는 달리는 중이 아니다. (running / am / not)

→ I ___am not running___.

02 그는 공부하는 중이 아니다. (is / studying / not)

→ He ____________________.

03 그들은 춤추는 중이 아니다. (not / are / dancing)

→ They ____________________.

04 그녀는 지금 자고 있나요? (she / sleeping / Is)

→ ____________________ now?

05 당신은 영어를 배우고 있나요? (you / Are / learning)

→ ____________________ English?

06 그들은 음식을 사는 중이 아니다. (not / buying / are)

→ They ____________________ food.

07 톰이 공을 던지고 있나요? (Tom / throwing / Is)

→ ____________________ a ball?

08 케이트는 그림을 그리는 중이 아니다. (drawing / is / not)

→ Kate ____________________ a picture.

09 그들은 옷을 팔고 있나요? (selling / they / Are)

→ ____________________ clothes?

10 당신은 첼로를 연습하고 있나요? (practicing / you / Are)

→ ____________________ the cello?

2 다음 문장을 지시대로 바꿔 쓸 때, 빈칸에 알맞은 말을 쓰세요.

01 They are doing their homework. 그들은 숙제를 하고 있다.
➡ **부정문** They aren't doing ____________ their homework.

02 You are using my comb. 너는 내 빗을 쓰고 있다.
➡ **의문문** ____________ my comb?

03 She is cleaning her room. 그녀는 그녀의 방을 청소하고 있다.
➡ **부정문** ____________ her room.

04 The koala is climbing a tree. 그 코알라는 나무를 오르고 있다.
➡ **의문문** ____________ a tree?

05 My brother is taking a shower. 내 남동생은 샤워를 하고 있다.
➡ **부정문** ____________ a shower.

06 They are clapping their hands. 그들은 박수를 치고 있다.
➡ **의문문** ____________ their hands?

07 We are waiting for a bus. 우리는 버스를 기다리고 있다.
➡ **부정문** ____________ for a bus.

08 Amy and Dave are picking flowers. 에이미와 데이브는 꽃들을 꺾고 있다.
➡ **부정문** ____________ flowers.

09 Ted is making his bed. 테드는 그의 침대를 정리하고 있다.
➡ **의문문** ____________ his bed?

10 You are sweeping the floor. 너는 바닥을 쓸고 있다.
➡ **의문문** ____________ the floor?

REview TEST

1 다음 문장을 현재진행형으로 바꿔 쓰세요.

01 He swims in the pool. 그는 수영장에서 수영한다.
➡ He is swimming ______ in the pool.

02 She plays the flute. 그녀는 플루트를 연주한다.
➡ ______ the flute.

03 I check my email. 나는 나의 이메일을 확인한다.
➡ ______ my email.

04 Molly goes home. 몰리는 집에 간다.
➡ ______ home.

05 I don't watch TV. 나는 TV를 보지 않는다.
➡ ______ TV.

06 They don't clean their classroom. 그들은 교실을 청소하지 않는다.
➡ ______ their classroom.

07 Kevin doesn't ride a horse. 케빈은 말을 타지 않는다.
➡ ______ a horse.

08 Do you read a newspaper? 당신은 신문을 읽나요?
➡ ______ a newspaper?

09 Does she make dinner? 그녀는 저녁식사를 만드나요?
➡ ______ dinner?

10 Does Linda drink chocolate milk? 린다는 초콜릿 우유를 마시나요?
➡ ______ chocolate milk?

2 다음 우리말과 일치하도록 밑줄 친 부분을 바르게 고쳐 쓰세요.

01 The girl is laugh. → laughing
그 소녀는 웃고 있다.

02 The koalas are sleep. → ____________
그 코알라들은 잠자고 있다.

03 Kate doesn't wearing a coat. → ____________
케이트는 코트를 입고 있지 않다.

04 They don't helping the boy. → ____________
그들은 그 소년을 돕고 있지 않다.

05 Are you mop the floor? → ____________
당신은 바닥을 닦고 있나요?

06 Does Dave ordering pizza? → ____________
데이브는 피자를 주문하고 있나요?

07 A: Are they talking to each other?
그들은 서로 이야기를 나누는 중인가요?
B: Yes, they do. → ____________
예, 그래요.

08 A: Is the raccoon running away?
그 라쿤은 도망가는 중인가요?
B: No, it doesn't. → ____________
아니요, 그렇지 않아요.

Vocabulary TEST

	단어	뜻
01	cello	첼로
02	check	확인하다
03	clap	박수를 치다
04	clean	청소하다
05	climb	오르다
06	clothes	옷, 의복
07	comb	머리빗
08	dinner	저녁식사
09	email	이메일
10	floor	바닥
11	grey	회색(의)
12	help	돕다
13	laugh	웃다
14	magazine	잡지
15	mop	대걸레로 닦다

	단어	뜻
16	newspaper	신문
17	order	주문하다
18	paint	페인트칠하다
19	pick	(꽃을) 꺾다
20	practice	연습하다
21	sell	팔다
22	send	보내다
23	shower	샤워
24	sweep	쓸다
25	talk	말하다
26	tea	(음료) 차
27	throw	던지다
28	wait	기다리다
29	wall	벽
30	water	물을 주다

1 다음 우리말 뜻에 해당하는 영어 단어를 쓰세요.

01 (음료) 차 ➡ tea

02 벽 ➡ ________

03 대걸레로 닦다 ➡ ________

04 돕다 ➡ ________

05 말하다 ➡ ________

06 기다리다 ➡ ________

07 보내다 ➡ ________

08 회색(의) ➡ ________

09 팔다 ➡ ________

10 머리빗 ➡ ________

11 (꽃을) 꺾다 ➡ ________

12 박수를 치다 ➡ ________

13 저녁식사 ➡ ________

14 청소하다 ➡ ________

15 오르다 ➡ ________

16 물을 주다 ➡ ________

2 다음 영어 단어에 해당하는 우리말 뜻을 쓰세요.

01 cello ➡ 첼로

02 floor ➡ ________

03 email ➡ ________

04 paint ➡ ________

05 check ➡ ________

06 throw ➡ ________

07 order ➡ ________

08 laugh ➡ ________

09 sweep ➡ ________

10 clothes ➡ ________

11 shower ➡ ________

12 newspaper ➡ ________

13 practice ➡ ________

14 magazine ➡ ________

CHAPTER 5

1 다음 중 형용사가 아닌 것에 ×표 하세요.

01	___ sad 슬픈	X	girl 소녀	___	happy 행복한
02	___ make 만들다	___	long 긴	___	short 짧은
03	___ red 빨간	___	blue 파란	___	write 쓰다
04	___ big 큰	___	pen 펜	___	small 작은
05	___ old 나이 많은	___	young 어린	___	eat 먹다
06	___ sleep 자다	___	angry 화난	___	nice 좋은
07	___ tired 피곤한	___	dance 춤추다	___	hungry 배고픈
08	___ sea 바다	___	clever 영리한	___	stupid 어리석은
09	___ run 달리다	___	pretty 예쁜	___	ugly 못생긴
10	___ kind 친절한	___	sing 노래하다	___	rude 무례한
11	___ sky 하늘	___	tall 키가 큰	___	strong 강한
12	___ cute 귀여운	___	study 공부하다	___	black 검은

2 다음 문장에서 형용사에 동그라미 하고, 그 뜻을 써서 우리말 해석을 완성하세요.

01 My sister is lovely.
➡ 내 여동생은 ___사랑스럽___ 다.

02 It is a round table.
➡ 그것은 ____________ 탁자다.

03 These are new shirts.
➡ 이것들은 ____________ 셔츠들이다.

04 The umbrellas are yellow.
➡ 그 우산들은 ____________ 다.

05 The mountain is high.
➡ 그 산은 ____________ 다.

06 There are many people in the park.
➡ 공원에 사람들이 ____________ 다.

07 She sells fresh milk.
➡ 그녀는 ____________ 우유를 판다.

08 We don't need much money.
➡ 우리는 ____________ 돈을 필요로 하지 않는다.

09 Look at the cute baby.
➡ 그 ____________ 아기를 보아라.

10 This is an expensive necklace.
➡ 이것은 ____________ 목걸이다.

CHAPTER 5

1 다음 괄호 안에서 알맞은 것을 고르고, 우리말 뜻을 찾아 밑줄을 치세요.

01 She sings (good / well).
➡ 그녀는 노래를 잘 부른다.

02 The koala moves (slow / slowly).
➡ 그 코알라는 느리게 움직인다.

03 An eagle is flying (high / highly).
➡ 독수리가 높이 날고 있다.

04 He is speaking (loud / loudly).
➡ 그는 큰 소리로 말하고 있다.

05 I drink milk (quick / quickly).
➡ 나는 우유를 빨리 마신다.

06 She is smiling (happy / happily).
➡ 그녀는 행복하게 웃고 있다.

07 I can solve the problem (easy / easily).
➡ 나는 그 문제를 쉽게 풀 수 있다.

08 He runs (fast / fastly).
➡ 그는 빨리 달린다.

09 Mike gets up (late / lately).
➡ 마이크는 늦게 일어난다.

10 Close the window (quiet / quietly).
➡ 창문을 조용히 닫아라.

2 다음 주어진 형용사를 부사로 바꿔 문장을 완성하세요.

01 Jim walks ___slowly___. (slow)
짐은 천천히 걷는다.

02 Kate helps me ___________. (kind)
케이트는 친절하게 나를 도와준다.

03 I go home ___________. (early)
나는 집에 일찍 간다.

04 The raccoon moves ___________. (quick)
그 라쿤은 빠르게 움직인다.

05 They read books ___________. (quiet)
그들은 조용히 책을 읽는다.

06 You speak Chinese ___________. (good)
너는 중국어를 잘한다.

07 The boy is ___________ smart. (real)
그 소년은 정말로 똑똑하다.

08 I can jump ___________. (high)
나는 높이 뛸 수 있다.

09 He is singing ___________. (loud)
그는 큰 소리로 노래하고 있다.

10 Can you solve the puzzle ___________? (easy)
너는 그 퍼즐을 쉽게 풀 수 있니?

REview TEST

1 다음 우리말과 일치하도록 보기에서 알맞은 단어를 찾아 영어표현을 완성하세요.

new	high	pretty	sadly	early	round
fast	many	loudly	carefully	yellow	exciting

01 예쁜 소녀 → a ___pretty___ girl

02 노란 풍선 → a ____________ balloon

03 신나는 게임 → an ____________ game

04 슬프게 울다 → cry ____________

05 일찍 일어나다 → get up ____________

06 높이 뛰다 → jump ____________

07 둥근 탁자 → a ____________ table

08 많은 아이들 → ____________ children

09 내 새 자전거 → my ____________ bike

10 빨리 달리다 → run ____________

11 큰 소리로 얘기하다 → talk ____________

12 조심스럽게 듣다 → listen ____________

2 다음 주어진 단어를 알맞은 곳에 써서 문장을 완성하세요.

01 happy / happily

→ Be happy. 행복해라.

→ We live happily. 우리는 행복하게 산다.

02 slow / slowly

→ She is a __________ walker. 그녀는 걸음이 느린 사람이다.

→ The plant grows __________. 그 식물은 느리게 자란다.

03 deep / deeply

→ It is a __________ lake. 그것은 깊은 호수다.

→ The panda is sleeping __________. 그 판다는 깊이 잠자고 있다.

04 real / really

→ You are __________ beautiful. 당신은 정말로 아름답다.

→ That is not a __________ tree. 저것은 진짜 나무가 아니다.

05 good / well

→ He dances __________. 그는 춤을 잘 춘다.

→ He is a __________ swimmer. 그는 수영을 잘하는 사람이다.

06 easy / easily

→ Math is not __________. 수학은 쉽지 않다.

→ Koalas can climb trees __________.
코알라들은 나무에 쉽게 오를 수 있다.

Vocabulary TEST

	단어	뜻
01	angry	화난
02	balloon	풍선
03	black	검은
04	clever	영리한
05	close	닫다
06	cute	귀여운
07	deeply	깊게
08	exciting	신나는
09	good	좋은, 훌륭한
10	grow	자라다
11	hungry	배고픈
12	lake	호수
13	listen	듣다
14	mountain	산
15	move	움직이다

	단어	뜻
16	new	새로 산
17	problem	문제
18	quickly	빨리, 빠르게
19	quietly	조용히, 조용하게
20	rude	무례한
21	sadly	슬프게
22	speak	말하다
23	strong	강한
24	stupid	어리석은
25	swimmer	수영하는 사람
26	tired	피곤한
27	ugly	못생긴
28	walker	걷는 사람
29	well	잘, 좋게
30	young	어린

1 다음 우리말 뜻에 해당하는 영어 단어를 쓰세요.

01	귀여운	→ cute	02	좋은, 훌륭한	→ ______
03	못생긴	→ ______	04	새로 산	→ ______
05	자라다	→ ______	06	무례한	→ ______
07	잘, 좋게	→ ______	08	움직이다	→ ______
09	호수	→ ______	10	닫다	→ ______
11	화난	→ ______	12	강한	→ ______
13	검은	→ ______	14	어린	→ ______
15	걷는 사람	→ ______	16	어리석은	→ ______

2 다음 영어 단어에 해당하는 우리말 뜻을 쓰세요.

01	speak	→ 말하다	02	hungry	→ ______
03	clever	→ ______	04	sadly	→ ______
05	tired	→ ______	06	quietly	→ ______
07	quickly	→ ______	08	deeply	→ ______
09	listen	→ ______	10	balloon	→ ______
11	exciting	→ ______	12	problem	→ ______
13	mountain	→ ______	14	swimmer	→ ______

CHAPTER 6

1 다음 괄호 안에서 알맞은 것을 고르세요.

01 I (am / was / were) happy yesterday.
나는 어제 행복했다.

02 He (is / was / were) ten years old last year.
그는 작년에 10살이었다.

03 They (are / was / were) busy yesterday.
그들은 어제 바빴다.

04 We (are / was / were) at home last night.
우리는 지난밤에 집에 있었다.

05 She (isn't / wasn't / weren't) a doctor last year.
그녀는 작년에 의사가 아니었다.

06 My room (isn't / wasn't / weren't) messy yesterday.
내 방은 어제 지저분하지 않았다.

07 My friends (aren't / wasn't / weren't) at the gym last Monday.
내 친구들은 지난 월요일에 체육관에 없었다.

08 The people (aren't / wasn't / weren't) rich before.
그 사람들은 전에 부자가 아니었다.

09 (Is / Was / Were) she a good student?
그녀는 훌륭한 학생이었나요?

10 (Is / Was / Were) you in Busan last week?
당신은 지난주에 부산에 있었나요?

2 다음 우리말과 일치하도록 빈칸에 알맞은 단어를 보기에서 찾아 쓰세요.

was	were	wasn't	weren't

01 He ____was____ a famous actor.
그는 유명한 배우였다.

02 I ____________ late for school yesterday.
나는 어제 학교에 지각했다.

03 We ____________ good students.
우리는 훌륭한 학생들이 아니었다.

04 There ____________ many people on the bus.
버스에 사람들이 많았다.

05 She ____________ my best friend.
그녀가 내 가장 친한 친구는 아니었다.

06 It ____________ my umbrella.
그것은 내 우산이 아니었다.

07 A: ____________ Emma at the party?
엠마는 파티에 있었나요?
B: Yes, she ____________.
예, 그랬어요.

08 A: ____________ they busy yesterday?
그들은 어제 바빴나요?
B: No, they ____________.
아니요, 그렇지 않았어요.

CHAPTER 6

1 다음 동사의 우리말 뜻과 과거형을 쓰세요.

	동사	우리말 뜻	과거형
01	wash	씻다	washed
02	play		
03	listen		
04	close		
05	watch		
06	live		
07	cry		
08	try		
09	study		
10	visit		
11	ask		
12	like		
13	invite		
14	learn		
15	help		
16	move		

2 다음 빈칸에 주어진 동사의 과거형을 써서 문장을 완성하세요.

01 I ___helped___ my mother yesterday. (help)
나는 어제 나의 어머니를 도와줬다.

02 He __________ his room last weekend. (clean)
그는 지난 주말에 그의 방을 청소했다.

03 We __________ to the music yesterday. (dance)
우리는 어제 음악에 맞춰 춤을 추었다.

04 They __________ in London last month. (stay)
그들은 지난달에 런던에 머물렀다.

05 John __________ here yesterday afternoon. (arrive)
존은 어제 오후에 여기에 도착했다.

06 Amy __________ Kate yesterday morning. (call)
에이미는 어제 아침에 케이트에게 전화했다.

07 Mom __________ spaghetti yesterday. (cook)
엄마는 어제 스파게티를 요리했다.

08 Peter __________ his room yesterday. (lock)
피터는 어제 그의 방을 잠갔다.

09 I __________ my teeth last night. (brush)
나는 어젯밤에 이를 닦았다.

10 Susan __________ math last night. (study)
수잔은 어젯밤에 수학을 공부했다.

REview TEST

1 다음 주어진 문장을 부정문과 의문문으로 바꿔 쓰세요.

01 His friends were sad. 그의 친구들은 슬펐다.

→ 부정문 His friends weren't sad.

→ 의문문 Were his friends sad?

02 She was tired yesterday. 그녀는 어제 피곤했다.

→ 부정문 ______________________

→ 의문문 ______________________

03 You were angry with me. 너는 나에게 화가 났었다.

→ 부정문 ______________________

→ 의문문 ______________________

04 They were in town yesterday. 그들은 어제 시내에 있었다.

→ 부정문 ______________________

→ 의문문 ______________________

05 There was a turtle in the tank. 수조에 거북이가 있었다.

→ 부정문 ______________________

→ 의문문 ______________________

06 The math exam was difficult. 그 수학 시험은 어려웠다.

→ 부정문 ______________________

→ 의문문 ______________________

2 다음 주어진 단어들을 이용해서 과거형 문장을 만드세요.

01 he / carry / the boxes (그는 그 상자들을 옮겼다.)
➡ He carried the boxes.

02 she / clean / her room (그녀는 그녀의 방을 청소했다.)
➡ ______________________

03 they / study / together (그들은 함께 공부했다.)
➡ ______________________

04 Kevin / play / the guitar (케빈은 기타를 연주했다.)
➡ ______________________

05 Jenny / listen / to the radio (제니는 라디오를 들었다.)
➡ ______________________

06 he / stay / at the hotel (그는 그 호텔에 머물렀다.)
➡ ______________________

07 I / walk / to school (나는 학교에 걸어갔다.)
➡ ______________________

08 we / watch / the movie (우리는 그 영화를 보았다.)
➡ ______________________

09 Mr. Clinton / visit / America (클린턴 씨는 미국을 방문했다.)
➡ ______________________

10 Dave and I / wait / for the bus (데이브와 나는 버스를 기다렸다.)
➡ ______________________

Vocabulary TEST

	단어	뜻
01	actor	배우
02	afternoon	오후
03	before	전에
04	best	가장 좋은
05	brush	솔질하다
06	busy	바쁜
07	call	전화하다
08	carry	나르다
09	difficult	어려운
10	famous	유명한
11	guitar	기타
12	hotel	호텔
13	last	지난
14	late	늦은
15	lock	잠그다

	단어	뜻
16	messy	지저분한
17	Monday	월요일
18	month	달, 월
19	morning	아침
20	movie	영화
21	night	밤
22	party	파티
23	people	사람들
24	rich	부유한
25	spaghetti	스파게티
26	town	(소)도시, 마을
27	turtle	거북
28	week	주
29	weekend	주말
30	year	해, 년

1 다음 우리말 뜻에 해당하는 영어 단어를 쓰세요.

01 바쁜 → busy
02 늦은 → ______
03 전화하다 → ______
04 배우 → ______
05 부유한 → ______
06 영화 → ______
07 주 → ______
08 해, 년 → ______
09 달, 월 → ______
10 (소)도시, 마을 → ______
11 잠그다 → ______
12 파티 → ______
13 가장 좋은 → ______
14 호텔 → ______
15 솔질하다 → ______
16 나르다 → ______

2 다음 영어 단어에 해당하는 우리말 뜻을 쓰세요.

01 last → 지난
02 messy → ______
03 night → ______
04 Monday → ______
05 guitar → ______
06 before → ______
07 turtle → ______
08 people → ______
09 morning → ______
10 famous → ______
11 afternoon → ______
12 weekend → ______
13 spaghetti → ______
14 difficult → ______

CHAPTER 7

1 다음 동사의 우리말 뜻과 과거형을 쓰세요.

	동사	우리말 뜻	과거형
01	get	얻다	got
02	run		
03	sing		
04	give		
05	sit		
06	meet		
07	hit		
08	buy		
09	cut		
10	sleep		
11	speak		
12	build		
13	know		
14	go		
15	come		
16	make		

2 다음 빈칸에 주어진 동사의 과거형을 써서 문장을 완성하세요.

01 I ___ate___ breakfast at nine o'clock. (eat)
나는 9시에 아침식사를 먹었다.

02 They ______ camping last weekend. (go)
그들은 지난 주말에 캠핑을 갔다.

03 He ______ his homework last night. (do)
그는 지난밤에 숙제를 했다.

04 She ______ some milk yesterday. (drink)
그녀는 어제 우유를 조금 마셨다.

05 They ______ comic books all together. (read)
그들은 다 함께 만화책을 읽었다.

06 We ______ a good time at the party. (have)
우리는 파티에서 좋은 시간을 보냈다.

07 Mom ______ my clothes last year. (make)
엄마는 작년에 내 옷을 만들어 주었다.

08 He ______ a truck two years ago. (drive)
그는 2년 전에 트럭을 운전했다.

09 I ______ koalas in Australia. (see)
나는 호주에서 코알라들을 보았다.

10 Sam ______ back home early yesterday. (come)
샘은 어제 집에 일찍 돌아왔다.

CHAPTER 7

1 다음 우리말과 일치하도록 괄호 안에서 알맞은 것을 고르세요.

01 They (don't / didn't) play baseball yesterday.
그들은 어제 야구를 하지 않았다.

02 I (don't / didn't) study math yesterday.
나는 어제 수학을 공부하지 않았다.

03 We (don't / didn't) go shopping last weekend.
우리는 지난 주말에 쇼핑을 가지 않았다.

04 He didn't (help / helped) his friends.
그는 그의 친구들을 돕지 않았다.

05 She didn't (buy / bought) a necklace.
그녀는 목걸이를 사지 않았다.

06 (Do / Did) you brush your teeth last night?
당신은 지난밤에 양치질을 했나요?

07 Did they (lock / locked) the door last night?
그들은 지난밤에 문을 잠갔나요?

08 (Does / Did) he vacuum the stairs yesterday?
그는 어제 청소기로 계단을 청소했나요?

09 Did you (see / saw) Bill at the restaurant?
당신은 그 식당에서 빌을 보았나요?

10 Did Sarah (come / came) to your birthday party?
사라는 당신의 생일 파티에 왔나요?

2 다음 문장을 지시대로 바꿔 쓸 때, 빈칸에 알맞은 말을 쓰세요.

01 Dave walked home. 데이브는 집에 걸어왔다.

→ 부정문 Dave didn't walk home.

02 The baby cried all day. 그 아기는 하루 종일 울었다.

→ 의문문 ______________________ all day?

03 You washed your face. 너는 세수를 했다.

→ 부정문 ______________________ your face.

04 Dinosaurs lived a long time ago. 공룡들은 오래 전에 살았다.

→ 의문문 ______________________ a long time ago?

05 She finished her homework. 그녀는 숙제를 끝냈다.

→ 부정문 ______________________ her homework.

06 She made breakfast. 그녀는 아침식사를 만들었다.

→ 부정문 ______________________ breakfast.

07 He ate all the pizza. 그는 그 피자를 다 먹어버렸다.

→ 의문문 ______________________ all the pizza?

08 Sam got up early. 샘은 일찍 일어났다.

→ 부정문 ______________________ early.

09 He wrote a history book. 그는 역사책을 썼다.

→ 의문문 ______________________ a history book?

10 Julie read the novel. 줄리는 소설을 읽었다.

→ 부정문 ______________________ the novel.

REview TEST

1 다음 주어진 단어들을 이용해서 과거형 문장을 만드세요.

01 she / drive / to her house (그녀는 집에 운전해서 갔다.)

→ She drove to her house.

02 they / go / to the cinema (그들은 영화관에 갔다.)

→ ______________________

03 Jenny / meet / her friends (제니는 그녀의 친구들을 만났다.)

→ ______________________

04 Peter / have / a camera (피터는 카메라를 가지고 있었다.)

→ ______________________

05 she / speak / Japanese (그녀는 일본어로 말했다.)

→ ______________________

06 he / make / a toy plane (그는 장난감 비행기를 만들었다.)

→ ______________________

07 Liz / sit / on the rock (리즈는 바위 위에 앉았다.)

→ ______________________

08 they / build / the stadium (그들은 경기장을 지었다.)

→ ______________________

09 we / buy / a new oven (우리는 새 오븐을 샀다.)

→ ______________________

10 the bat / eat / a spider (그 박쥐는 거미를 먹었다.)

→ ______________________

2 다음 우리말과 일치하도록 단어를 바르게 배열하여 문장을 완성하세요.

01 그들은 잡지책을 읽었나요? (read / they / Did)
➡ Did they read a magazine?

02 나는 그 소파에 앉지 않았다. (didn't / I / sit)
➡ ______________ on the sofa.

03 당신은 식사가 즐거웠나요? (you / enjoy / Did)
➡ ______________ the meal?

04 그녀는 집에 있지 않았다. (She / stay / didn't)
➡ ______________ at home.

05 당신은 그 곤충을 만졌나요? (touch / you / Did)
➡ ______________ the insect?

06 그는 울타리를 페인트칠하지 않았다. (He / paint / didn't)
➡ ______________ the fence.

07 그들이 그 꽃들을 꺾었나요? (pick / they / Did)
➡ ______________ the flowers?

08 그는 나의 집에 오지 않았다. (didn't / He / come)
➡ ______________ to my house.

09 매머드들은 오래 전에 여기에 살았나요? (mammoths / live / Did)
➡ ______________ here a long time ago?

10 우리는 작년에 런던을 방문하지 않았다. (We / visit / didn't)
➡ ______________ London last year.

Vocabulary TEST

	단어	뜻
01	ago	전에
02	all	모두
03	bat	박쥐
04	birthday	생일
05	camera	카메라
06	camping	캠핑
07	cinema	영화관
08	dinosaur	공룡
09	enjoy	즐기다
10	fence	울타리
11	history	역사
12	insect	곤충
13	Japanese	일본어
14	mammoth	매머드 〔코끼리의 조상〕
15	meal	식사

	단어	뜻
16	necklace	목걸이
17	novel	소설
18	oven	오븐
19	pizza	피자
20	plane	비행기
21	restaurant	식당
22	rock	바위
23	shopping	쇼핑
24	spider	거미
25	stadium	경기장
26	stair	계단
27	time	시간
28	touch	(손으로) 만지다
29	truck	트럭
30	vacuum	진공청소기로 청소하다

1 다음 우리말 뜻에 해당하는 영어 단어를 쓰세요.

01 모두 → all
02 박쥐 → ______
03 전에 → ______
04 오븐 → ______
05 바위 → ______
06 시간 → ______
07 곤충 → ______
08 식사 → ______
09 피자 → ______
10 비행기 → ______
11 카메라 → ______
12 트럭 → ______
13 계단 → ______
14 즐기다 → ______
15 역사 → ______
16 (손으로) 만지다 → ______

2 다음 영어 단어에 해당하는 우리말 뜻을 쓰세요.

01 novel → 소설
02 fence → ______
03 spider → ______
04 birthday → ______
05 cinema → ______
06 Japanese → ______
07 shopping → ______
08 camping → ______
09 stadium → ______
10 restaurant → ______
11 necklace → ______
12 dinosaur → ______
13 mammoth → ______
14 vacuum → ______

1 다음 괄호 안에서 알맞은 전치사를 고르고, 그 전체 우리말 뜻을 쓰세요.

01 (at / in / on) 8:00 → 8시에

02 (at / in / on) noon → ______

03 (at / in / on) the afternoon → ______

04 (at / in / on) Friday → ______

05 (at / in / on) the evening → ______

06 (at / in / on) home → ______

07 (at / in / on) school → ______

08 (at / in / on) the bus stop → ______

09 (at / in / on) Seoul → ______

10 (at / in / on) Korea → ______

11 (at / in / on) March → ______

12 (at / in / on) 9 o'clock → ______

2 다음 빈칸에 at이나 on 또는 in을 쓰세요.

01 I get up ___at___ 7 o'clock.
나는 7시에 일어난다.

02 They go swimming ________ August.
그들은 8월에 수영하러 간다.

03 He plays badminton ________ Wednesday.
그는 수요일에 배드민턴을 친다.

04 Fall comes ________ September.
가을은 9월에 온다.

05 My aunt lives ________ New York.
나의 고모는 뉴욕에서 산다.

06 We have an art class ________ Tuesday.
우리는 화요일에 미술 수업이 있다.

07 She goes to church ________ Sunday.
그녀는 일요일에 교회에 간다.

08 Mr. Tailor arrived ________ the station.
테일러 씨는 역에 도착했다.

09 Flowers bloom ________ the spring.
꽃은 봄에 핀다.

10 I keep a diary ________ night.
나는 밤에 일기를 쓴다.

CHAPTER 8

1 다음 우리말과 일치하도록 괄호 안에서 알맞은 전치사를 고르세요.

01 쟁반 위에 있는 컵

➡ the cup (on / under) the tray

02 서점 옆에 있는 가게

➡ the shop (in / next to) the bookstore

03 침대 아래에 있는 신발

➡ the shoes (between / under) the bed

04 시장 뒤에 있는 동물원

➡ the zoo (next to / behind) the market

05 탑들 사이에 있는 공원

➡ the park (between / behind) the towers

06 풀 앞에 있는 가위

➡ the scissors (in front of / next to) the glue

07 새장 안에 있는 앵무새

➡ the parrot (in / on) the cage

08 화분 뒤에 있는 개구리

➡ the frog (under / behind) the plant pot

09 나무 아래에 있는 자전거

➡ the bike (under / behind) the tree

10 벤치 위에 있는 스마트폰

➡ the smartphone (in / on) the bench

2 다음 우리말과 일치하도록 빈칸에 알맞은 말을 보기에서 찾아 쓰세요.

on in under behind between next to in front of

01 The bowls are ______in______ the cupboard.
그 그릇들은 찬장 안에 있다.

02 My sister is ____________ Brian.
내 여동생은 브라이언 옆에 있다.

03 There is a scarf ____________ the table.
목도리가 탁자 위에 있다.

04 There is a dice ____________ the chair.
주사위가 의자 아래에 있다.

05 Sally is hiding ____________ the door.
샐리는 문 뒤에 숨어 있다.

06 The balls are ____________ the basket.
그 공들은 바구니 안에 있다.

07 Tommy is standing ____________ the gate.
토미는 정문 앞에 서 있다.

08 The fox is ____________ the wolves.
그 여우는 늑대들 사이에 있다.

09 You can find the library ____________ the museum.
너는 박물관 옆에 있는 도서관을 찾을 수 있다.

10 I meet my friends ____________ the park.
나는 친구들을 공원 앞에서 만난다.

REview TEST

1 다음 우리말과 일치하도록 주어진 단어와 전치사를 이용해서 문장을 완성하세요.

01 나는 10시에 잠자리에 든다. (10 o'clock)
→ I go to bed ___at 10 o'clock___.

02 우리는 5월에 소풍을 간다. (May)
→ We go on a picnic ______________.

03 그녀는 아침에 조깅한다. (the morning)
→ She goes jogging ______________.

04 그의 삼촌은 호주에 있다. (Australia)
→ His uncle is ______________.

05 우리는 수요일에 테니스를 친다. (Wednesday)
→ We play tennis ______________.

06 그는 정오에 그 토끼에게 먹이를 준다. (noon)
→ He feeds the rabbit ______________.

07 그들은 역에 도착하지 않았다. (the station)
→ They didn't arrive ______________.

08 우리는 여름에 우리의 할머니를 방문한다. (the summer)
→ We visit our grandma ______________.

09 나는 금요일에 첼로 강습이 있다. (Friday)
→ I have cello lessons ______________.

10 그 프로그램은 8시 30분에 시작한다. (8:30)
→ The program starts ______________.

2 다음 우리말과 일치하도록 밑줄 친 부분을 바르게 고쳐 쓰세요.

01 The ice cream is on the fridge. → in
그 아이스크림은 냉장고 안에 있다.

02 Your glasses are in the desk. → ______
너의 안경은 책상 위에 있다.

03 My computer is under the TV. → ______
나의 컴퓨터는 TV 옆에 있다.

04 The key is behind the bed. → ______
그 열쇠는 침대 아래에 있다.

05 Jim is standing next to Kate. → ______
짐은 케이트 뒤에 서 있다.

06 My pen is on my pocket. → ______
나의 펜은 내 호주머니 안에 있다.

07 The bus stop is between the bank. → ______
그 버스 정류장은 은행 앞에 있다.

08 There is a car in front of the buses. → ______
자동차가 버스들 사이에 있다.

09 The boxes are under the floor. → ______
그 상자들은 바닥 위에 있다.

10 Your slippers are behind the table. → ______
너의 슬리퍼는 탁자 아래에 있다.

Vocabulary TEST

	단어	뜻
01	art	미술, 예술
02	aunt	이모, 고모
03	bookstore	서점
04	bowl	그릇
05	church	교회
06	diary	일기
07	dice	주사위
08	evening	저녁
09	feed	먹이를 주다
10	find	찾다
11	Friday	금요일
12	gate	(정)문
13	glasses	안경
14	glue	풀
15	hide	숨다

	단어	뜻
16	March	3월
17	market	시장
18	picnic	소풍
19	pocket	호주머니
20	plant pot	화분
21	scarf	목도리
22	scissors	가위
23	slipper	슬리퍼
24	stand	서다
25	station	역
26	tower	탑
27	tray	쟁반
28	Tuesday	화요일
29	uncle	삼촌
30	Wednesday	수요일

1 다음 우리말 뜻에 해당하는 영어 단어를 쓰세요.

01 미술, 예술 → art
02 그릇 → ______
03 이모, 고모 → ______
04 (정)문 → ______
05 숨다 → ______
06 풀 → ______
07 주사위 → ______
08 찾다 → ______
09 먹이를 주다 → ______
10 쟁반 → ______
11 탑 → ______
12 삼촌 → ______
13 목도리 → ______
14 일기 → ______
15 서다 → ______
16 시장 → ______

2 다음 영어 단어에 해당하는 우리말 뜻을 쓰세요.

01 March → 3월
02 Friday → ______
03 picnic → ______
04 slipper → ______
05 glasses → ______
06 pocket → ______
07 church → ______
08 scissors → ______
09 Tuesday → ______
10 evening → ______
11 station → ______
12 bookstore → ______
13 plant pot → ______
14 Wednesday → ______

Memo

Memo

Memo

Longman

WORK BOOK

Ink books
www.inkbooks.co.kr
무료 학습자료 다운로드 | 구매문의 02) 455 9620